Hei-

Hei-ho, hei-di-ho,
Fi yw sipsi fach y fro,
Carafán mewn cwr o fynydd
Newid aelwyd bob yn eilddydd …

… prin yw'r arian yn y god
Ond mae amser gwell i ddod …
Hei-ho, hei-di-ho
Fi yw sipsi fach y fro.

William (Crwys) Williams

Heigh-ho, heigh-ho It's home from work we go …
O'r ffilm *Eira Wen a'r Saith Corrach*, Disney, 1937

Hey Ho Let's Go. Hey Ho Let's Go …
Ramones

Daniel Davies

y Lolfa

Diolch yn fawr i fy mam, Hannah Mary Davies;
Linda Griffiths a'r merched; fy chwaer, Nan, a'r plant;
y saith corrach – David Edwards, Paul Edwards, Iestyn Evans,
Paul Lucas, Dafydd Tudor, Owain Rogers a Dyfed Williams.
Diolch hefyd i Adam T Burton am y symbyliad a'i syniadau yn
Job Club, Aberystwyth yn ystod y 90au,
ac i Alun Jones am olygu'r nofel.

Argraffiad cyntaf: 2009

Dymuna'r cyhoeddwyr gydnabod cymorth ariannol
Cyngor Llyfrau Cymru

Cynllun y clawr: Noel Ford

Rhif Llyfr Rhyngwladol: 978-1-84771-140-3

Cyhoeddwyd ac argraffwyd yng Nghymru
gan Y Lolfa Cyf., Talybont, Ceredigion SY24 5HE
gwefan www.ylolfa.com
e bost ylolfa@ylolfa.com
ffôn 01970 832 304
ffacs 832 782

BRYN

1

Syllodd Bryn Yale drwy ffenestr ei blasty. Roedd yr holl dir ffrwythlon a welai o'i flaen yn eiddo iddo fe. Dyma ei etifeddiaeth oddi wrth ei fodryb Martha, a fu farw flwyddyn ynghynt.

Wrth gwrs, mae'n bwysig nodi nad oedd yr etifedd balch yn medru gweld ymhellach na blaen ei drwyn heb ei sbectol, ac mai dim ond cae tair erw a hanner oedd ganddo mewn gwirionedd. Carafán gydag un gwely ynddo oedd ei blasty. Serch hynny roedd yn etifedd, ac uwchlaw pob dim roedd yn rhydd i wneud fel y mynnai.

Yn bum deg wyth mlwydd oed doedd Bryn bellach ddim yn gorfod ymddwyn fel oedolyn, ac fel plentyn gallai lenwi ei ddyddiau'n ymroi'n llwyr i'w ddiddordebau personol. Hoff ddull Bryn o wastraffu amser oedd chwarae criced.

Ar foreau braf o Orffennaf fel hwn byddai'n ymgolli'n llwyr mewn byd o ffantasi. Wedi bwyta brecwast gwisgai ei ddillad criced – y padiau, crys, siwmper, menig, ac wrth gwrs y bocs.

Yna cydiai yn ei fat a cherdded yn bwrpasol drwy ddrws y garafán at lawnt griced a dendiwyd yn dyner dros fisoedd y gaeaf a'r gwanwyn. Ar un pen i'r lawnt roedd wicedi, a dwy lath ar hugain i ffwrdd ar y pen arall, safai peiriant bowlio mawreddog ac ysblennydd. Amgylchynwyd y cyfan â rhwyd. Gallai teclyn bowlio Bryn hyrddio peli ar gyflymdra o naw deg milltir yr awr, neu gallai eu troelli'n gelfydd y naill ffordd neu'r llall.

Câi Bryn ei gludo'n feddyliol i feysydd enwocaf y byd: o Melbourne i Port of Spain, ac o Karachi i Bangalore. Yno wynebai rhai o'r bowlwyr gorau yn hanes y gêm… Holding, Roberts, Chandrasekhar a Warne. Wrth chwarae clywai sylwebydd radio yn ei ben yn disgrifio'i anturiaethau wrth wrandawyr astud ar draws y byd. Ac ar y bore arbennig hwn…

– Mae'n fore crasboeth yma ym Mherth, ac mae Bryn Yale yn barod i wynebu tîm cryf o oreuon Awstralia.

– Dros nos roedd ganddo sgôr o naw deg wyth heb fod allan. Mae Dennis Lillee, bowliwr cyflym Awstralia, yn rhedeg i mewn o ben y garafán.

Edrychodd Bryn yn betrusgar ar Bradman, Allan Border a Greg Chappell yn aros yn eiddgar yn y slipiau.

– Mae Lillee yn carlamu i mewn. Mae'n bêl fer sy'n chwipio heibio i ben Yale fodfeddi o'i drwyn, ac yn glanio'n ddidrafferth ym menig y wicedwr, Rodney Marsh.

Trodd Bryn ei ben a gweld Rodney Marsh yn edrych arno, yn wallt a mwstás i gyd.

– Have a go yer mug, meddai Rodney.

– Up yours Rodney, meddai Bryn gan wenu a pharatoi am y bêl nesaf.

– Mae Lillee yn rhedeg i mewn. Pêl fer eto. Mae Yale yn hwcio'r bêl. Mae'n siŵr y bydd hon yn chwech. Ai hwn fydd cant cynta Yale ym Mherth?

Gwenodd Bryn wrth edrych ar y bêl yn hedfan tuag at y ffin.

2

Chwarter milltir i ffwrdd safai Glyn Pugh a'i ddau fab, Emlyn a Terry, ar dir uchel yn gwylio Bryn yn chwarae criced.

– Beth mae'r cwrcyn yn neud nawr, Terry? gofynnodd Glyn, oedd yn ei chwe degau cynnar ond yn edrych yn llawer hŷn am fod croen ei wyneb fel eirinen grimp fu allan yn yr haul am bythefnos.

– Sai'n gallu'i weld e. Mae e wedi mynd tu ôl i'r garafán, atebodd Terry, y mab ieuengaf, oedd yn ceisio gwylio symudiadau Bryn trwy ysbienddrych.

Anwybyddodd Emlyn ei frawd a throi at ei dad.

– Ac rwyt ti'n dweud 'i fod e'n pallu gwerthu'r tir i ni, dwedodd.

– Wnes i'n gwmws fel yr awgrymest ti, Emlyn. Ddwedes i mai tir gwael sy ganddo fe ac, fel ffafr iddo fe, gynigies i ddeng mil o bunnoedd am y tair acer a hanner, dwedodd Glyn gan wthio'i gap yn uwch i fyny'i ben a dechrau crafu'i dalcen.

– Beth ddwedodd e, Dad? gofynnodd Emlyn, oedd yr un ffunud â'i dad, yn foel, yn magu bola go sylweddol ac yn bum troedfedd a phedair modfedd o uchder yn ei sgidiau gwaith.

– Dwedodd e fod y tir wedi bod yn ei deulu ers ache ac na fydde fe byth yn gwerthu'i etifeddiaeth, dyfynnodd Glyn yn araf ac yn gywir gan glosio at Emlyn.

– Mae hynny'n swnio'n ddigon teg i fi, meddai Terry, a safai rhwng ei dad a'i frawd. Ac yntau'n bell dros chwe throedfedd o uchder yn ei sanau, edrychai fel pidlen rhwng dwy gaill.

– Cau dy geg, y brych! meddai Emlyn yn swta cyn troi at ei dad.

– Beth ddwedest ti wedyn?

– Wel…

– Beth ddwedest ti! bloeddiodd Emlyn gan gamu'n fygythiol tuag ato.

– Dwedes i twll dy din di 'te… a cherdded bant, cyfaddefodd Glyn.

– Na. Na. Na, y lladwrn. Ro't ti i fod i wenu a gofyn iddo fe styried y cynnig, gwaeddodd Emlyn.

– Sori, Emlyn. Ond mae'r brych broga 'na'n mynd o dan 'y nghro'n i.

– Hmmm. Bydd yn rhaid inni fod yn fwy amyneddgar. Beth mae e, Yale, yn neud nawr? gofynnodd Emlyn gan droi at ei frawd oedd yn ceisio rhwystro'i hun rhag chwerthin.

– Mae'r ŵydd wen yn dal ar y nyth, Mein Kommandant, atebodd Terry.

Edrychodd Emlyn yn sur ar Terry wrth i Glyn ei ateb.

– Beth y'n ni'n mynd i neud, Emlyn? Ar ôl i'r hen fenyw

drigo ddwedest ti se fe'n rhwydd i ni gael 'yn dwylo ar y tir, gwichiodd Glyn.

– Do'n i ddim yn gwbod bryd hynny bod ganddi nai yn byw yn Llunden, atebodd Emlyn yn siarp.

– A doeddet ti ddim yn gwbod chwaith y bydde fe'n dod i fyw ar ei thir hi, ymatebodd Terry, a oedd yn dal i edrych drwy'r ysbienddrych.

– Hisht, wnei di, meddai Emlyn oedd yn ceisio meddwl sut y gallai berswadio Bryn Yale i werthu'r tir iddyn nhw. Cam fyddai'n sicrhau dyfodol disglair iddo fel datblygwr tai.

– Aros funud, meddai Terry. – Mae'r postmon newydd gyrraedd… mae Yale wedi bwrw'r bêl tuag ato fe… mae'r postmon wedi gadael i'r llythyrau gwympo ar y llawr ac mae'n rhedeg o dan y bêl… mae e reit o dan y bêl…

3

– Howsat!

Deffrodd Bryn o'i lesmair a gweld y cae gwag unwaith eto, heblaw am un ffigwr unig, â chap ar ei ben, wrth y glwyd. Roedd yn neidio a dawnsio gyda'r bêl yn ei ddwylo. Cerddodd Bryn tuag ato a sylweddolodd nad cap gwyrdd Awstralia oedd am ei ben, ond cap glas y Post Brenhinol.

– Howsat! meddai'r postmon unwaith eto a dangos y bêl oedd yn ei law.

– Arse! ebychodd Bryn. – Ydych chi'n sylweddoli'ch bod chi wedi'n rhwystro i rhag sgorio cant yn erbyn tîm gore Awstralia? ychwanegodd.

– Beth? Y peiriant coffi 'na draw fan'co?

– Nid peiriant coffi yw hwnna, Pal! Dennis Lillee yw hwnna!

– Dennis Lillee? Do's dim mwstás gydag e.

– O's. Dim ond i chi ddefnyddio ychydig bach o ddychymyg. Ta beth, beth y'ch chi moyn? Rwy'n brysur.

– Dim rhagor. Ry'ch chi mas. Caught William Evans, bowled Dennis Lillee. Ma 'da chi drwy'r dydd i feddwl am y shot yna... 'nôl yn y pafiliwn, meddai'r postmon gan wenu ac edrych i gyfeiriad y garafán.

Sylweddolodd y postmon fod Bryn yn dechrau troi'n biws.

– Wel... y... rwy wedi bod yn chwilio amdanoch chi ers orie. Dau lythyr i chi. Cyfeiriad od. Cap Martha.

– Na, na, na. Nid Cap Martha... Cae Martha. Martha oedd fy modryb. Fe adawodd y cae 'ma i fi yn ei hewyllys. Heddwch i'w llwch.

Edrychodd y postmon ar y cae.

– Doedd hi ddim yn meddwl rhyw lawer ohonoch chi, oedd hi? Ers pryd y'ch chi 'ma? Odi Glyn Pugh yn gwybod am hyn? Ro'n i'n meddwl mai 'i gae e oedd hwn.

– Roedd e'n meddwl hynny 'fyd, nes i fi gyrraedd a hawlio fy etifeddiaeth! Dim ond rhentu'r tir oedd e, atebodd Bryn cyn i'r dyn post ofyn.

– Beth y'ch chi'n mynd i neud? Allech chi adeiladu byngalo bach, fydde fe'n edrych yn lyfli draw fanco ar bwys y coed. Allech chi'i werthu fe wedyn am bris bach net, fel ry'ch chi'r Saeson i gyd yn neud, meddai'r postmon gan gyfeirio at acen Cockney Bryn.

Edrychodd Bryn yn syn ar y postmon, cyn dweud, – Esgusodwch fi. Nid Sais ydw i. Dw i'n Gymro i'r carn! Fues i mewn ysgol fonedd yn yr Amwythig...

– O, sori. Ond ry'ch chi'n swnio fel un... Wedi dysgu Cymraeg, ife? Ymdrech lew iawn os ca i ddweud.

– Edrychwch 'ma! Dw i wedi bod bant yn Lloegr yn gweithio. Newyddiaduraeth. Ond nawr... Dw i'n ôl...!

– Ymddeol, ife?

– Nage.

– Rhedeg i ffwrdd o rywle?

– Nage.

– Dw i'n gwybod. Ry'ch chi'n un o'r trafaelwyr 'ma. Ddylwn i fod wedi sylweddoli hynny ar ôl gweld y garafán.

– Nag ydw.

– A! Y musus wedi gadael a cha'l gafael mewn dyn ifancach?

– Pam yn y byd byddech chi'n meddwl 'ny? gwaeddodd Bryn, oedd wedi cyrraedd pen ei dennyn erbyn hyn.

– Wel, dyna beth ddigwyddodd i fi, atebodd y postmon yn benisel.

Erbyn hyn roedd Bryn wedi dechrau colli'i limpyn.

– Gwrandwch. Dw i wedi cael digon ar y 'tête à tête' bach 'ma, meddai gan gymryd y ddau lythyr a'r bêl o law chwith y postmon.

– Sen i'n chi, byddwn i'n cael peiriant batio 'fyd. Does dim lot o siâp arnoch chi. I ddechre, ry'ch chi'n rhoi gormod o bwyse ar y droed flaen... meddai'r postmon. A pheth arall... mae e'n bendant yn dweud Cap Martha ar yr amlen 'na...

– Dyw e ddim, dwedodd Bryn cyn edrych arni. – ... O, chi'n iawn 'fyd..., ychwanegodd, mae'r 'e' yn edrych braidd yn debyg i 'p'... mae'n ysgrifen i'n gwaethygu...

– Beth?

– Fi sgrifennodd y llythyr. Mae nghar i yn y garej yn cael ei drwsio... clytsh wedi mynd... ta beth, anfones i'r llythyr hwn ata i fy hunan gan wbod na fydde'r post brenhinol yn gwrthod lifft i un o'i gwsmeriaid mewn argyfwng. Felly, fy ffrind, i Cwrt Garage, Capel Bangor, and don't spare the horses...

– Wow wow wow. Alla i ddim gwneud 'ny, se'n i'n colli'n swydd...

– Peidiwch â bod yn hurt, ddyn...

– Y'ch chi'n meddwl mod i'n mynd i adael i rywun sy'n siarad â'i hunan ac sy'n esgus ei fod e'n chwarae criced gyda Dennis Lillee yn agos at fan y post brenhinol? Ry'ch chi'n mentalist.

– Beth ddwedoch chi?

– Ry'ch chi'n mentalist, nytar, boncyrs, ry'ch chi un bêl yn fyr o belawd.

Gwelodd y postmon wyneb Bryn yn dechrau cochi. Trodd a rhedeg nerth ei draed at y fan gyda Bryn rai llathenni y tu ôl iddo'n chwifio'i fat.

Mewn chwinciad roedd y postmon busneslyd yn eistedd yn ei fan a'r injan yn troi. Ar ôl i'r fan ddiflannu, agorodd Bryn y llythyr arall. Roedd yn datgan iddo fod yn ddi-waith ers chwe mis, a bod yn rhaid iddo felly ymuno â'r Ganolfan Rhaglenni yn Aberystwyth.

– Dyma bum deg wyth mlynedd gwaetha mywyd i, dwedodd, gan gerdded yn ôl i'r pafiliwn. Cododd ei fat i gydnabod cymeradwyaeth y dorf.

4

Chwarter milltir i ffwrdd, roedd Terry newydd orffen disgrifio'r digwyddiad anffodus rhwng Bryn a'r postmon.

– Mae'r boi 'na'n clean off, meddai Terry gan sychu'r dagrau o'i lygaid. – Clean off.

Ond doedd Emlyn Pugh ddim yn chwerthin gan iddo sylweddoli mai'r gwallgofddyn hwn oedd yr unig rwystr rhyngddo fe a dyfodol llewyrchus fel datblygwr stadau tai.

Roedd Emlyn yn 33 mlwydd oed, ac yn barod am ychydig o lwyddiant yn ei fywyd. Yn sgil yr argyfyngau ym myd amaeth ar ddechrau'r mileniwm, penderfynodd Emlyn mai technoleg gwybodaeth fyddai'n newid tynged ariannol y Pughiaid.

Ar ôl mynychu cwrs nos mewn TG, perswadiodd ei dad i fenthyg arian o'r banc i fuddsoddi miloedd o bunnoedd i drawsnewid y dull o fwydo'r hanner cant o wartheg ar y fferm. Prynwyd yr offer technegol diweddaraf er mwyn sicrhau bod y gwartheg yn cael y maint delfrydol o fwyd oedd ei angen arnynt. Dim llai – ac, yn bwysicach fyth, – dim mwy o fwyd nag roedden nhw ei angen. Amcangyfrifai Emlyn y byddai'r system fwydo hon yn arbed miloedd o bunnoedd iddynt. Yn anffodus, oherwydd camgymeriad a wnaed gan Emlyn wrth osod y meddalwedd, cafodd rhai o'r gwartheg ormod o fwyd a'r rhan helaeth ddim digon. O ganlyniad, cafodd y Pughiaid eu herlyn gan DEFRA am greulondeb tuag at anifeiliaid. Cafodd Glyn Pugh ddirwy o dair mil o bunnoedd am ymddiried yn syniadau Emlyn.

Yn sgil y cam gwag hwn, penderfynodd Emlyn y byddai'n arallgyfeirio trwy sefydlu cwmni adeiladu. Unwaith eto perswadiodd ei dad i fenthyg arian o'r banc i fuddsoddi miloedd o bunnoedd yn y fenter. Ond, y tro hwn, bu'r busnes yn llwyddiannus, gydag Emlyn yn ennill cytundebau i adeiladu nifer o feysydd chwarae i blant yng nghanolbarth Cymru.

Yn anffodus i Emlyn, bum mlynedd yn ddiweddarach nid oedd ei obeithion o ehangu'r busnes i gynnwys datblygu stadau tai wedi dwyn ffrwyth. Yn wir, roedd hyd yn oed y cytundebau i adeiladu meysydd chwarae wedi gostwng yn arw.

Serch hynny, roedd bwriad Cynllun Datblygu y Gorfforaeth i adeiladu saith mil o dai yn y sir dros gyfnod o bymtheng mlynedd yn fêl ar ei fysedd. Gyda chynifer o dai i'w hadeiladu, gwyddai Emlyn na allai'r cwmnïau mawr adeiladu'r cwbl.

Er bod Glyn Pugh yn berchen ar fferm hanner can erw, roedd y rhan helaeth o'r tir yn fynyddig, ond roedd yr acer a hanner o dir gwastad yn agos at bentref Penrhyn-coch yn berffaith ar gyfer adeiladu stad o dai.

Yn ogystal, deuai'r tir o fewn llinell ddatblygu cynllun newydd y Gorfforaeth ac roedd yn cyfateb i reolau cynllunio. Serch hynny, roedd gan Glyn un broblem. Bryn Yale.

Oherwydd bod y rhan fwyaf o'r tair erw a hanner oedd gan Bryn yn ffinio â'r ffordd a arweiniai i'r pentref, roedd yn rhaid cynnwys y tir hwn fel rhan o'r datblygiad. Hebddo, doedd dim modd i unrhyw un fyddai'n codi tŷ ar y safle gysylltu'r tŷ hwnnw â'r ffordd i'r pentref.

Gwyddai Emlyn fod ei dad, Glyn, wedi benthyg symiau mawr o arian yn ystod argyfyngau'r diwydiant ffermio, yn bennaf oherwydd ei syniadau diffrwyth ef. O ganlyniad i hynny roedd y Pughiaid mewn dyled ofnadwy.

Felly, pan soniodd Emlyn wrth ei dad am y cynllun, roedd Glyn yn fwy na pharod i ymuno yn y fenter. Os gallai Glyn berswadio Bryn Yale i werthu'r tir, byddai modd i'r Pughiaid wneud elw sylweddol o'r datblygiad.

Ond roedd un cwmwl du ar y gorwel. Roedd y newyddiadurwr o Lundain yn gwrthod gwerthu, a dibynnai'r holl gynllun ar lwyddiant Emlyn a Glyn i gael eu crafangau ar y darn bach hwn o dir. Heb dir Bryn Yale fyddai 'na ddim datblygiad, dim elw, a dim dyfodol llewyrchus i Emlyn Pugh.

– Cynigia £5,000 arall iddo fe, dwedodd Emlyn yn benderfynol.

– Ond Emlyn, dyw'r arian ddim 'da ni, fachgen... atebodd Glyn yn benisel.

– Cer i'r banc. Maen nhw wedi'n cefnogi ni hyd yn hyn. Am beth maen nhw'n poeni? Os awn ni i'r wal, nhw fydd yn cael y ffarm ta beth, ysgyrnygodd Emlyn.

– Mae e'n iawn fan'na, cytunodd Terry.

– A beth os bydd e Yale yn gwrthod 'to? gofynnodd Glyn.

– Paid â dweud gair wrtho fe. Gwena a cherdded bant. Cofia. Paid â gwneud dim heb ofyn i fi, atebodd Emlyn gan droi ar ei sodlau a dechrau cerdded dros y caeau yn ôl i'w fferm.

– A dw i'n credu ei bod hi'n hen bryd i ti fynd i weld dy ffrind yn y Gorfforaeth, ychwanegodd.

Ofnai Emlyn na fyddai Yale yn gwerthu ei dir tra oedd e'n byw yng Nghae Martha. Felly byddai'n rhaid cymryd camau i'w berswadio i adael. Ac roedd Emlyn yn gwybod yn iawn bod Glyn yn nabod jest y boi allai ei helpu i wneud hynny.

– Ble mae allweddi'r tractor? Dw i ishe mynd i'r dre, gwaeddodd Glyn ar Terry oedd yn dal i wylio Cae Martha.

– Ar ford y gegin, atebodd Terry.

– O's jiws ynddo fe?

– O's, bues i yn Morrisons ddoe i brynu'r cooking oil.

– Da machan i, dwedodd Glyn gan wenu wrth gychwyn ar ei daith i Swyddfa'r Gorfforaeth.

5

Roedd Baloo Williams bron â chwblhau'r cant a thrigain o oriau o wasanaeth cymunedol y bu'n rhaid iddo eu cyflawni am dorri cyfraith ei mawrhydi.

Bob bore am chwech o'r gloch gadawai ei gartref, sef tyddyn anghysbell tua deng milltir o Aberystwyth a adawyd iddo yn ewyllys ei dad.

Cerddai ddwy filltir i ddal bws cynta'r bore i'r dre. Am chwarter i wyth cerddai i fyny'r bryn a elwir yn Craig Glais a dechrau casglu'r sbwriel oedd yng nghyffiniau'r caffi ger gorsaf Rheilffordd y Graig ar dop y bryn.

Brawd-yng-nghyfraith Swyddog Prawf Baloo oedd yn berchen ar y busnes a gludai ymwelwyr i fyny ac i lawr y bryn. Ers rhai misoedd roedd y ddau frawd-yng-nghyfraith wedi dod i gytundeb a alluogai'r bobl oedd dan oruchwyliaeth y Swyddog i wneud eu gwasanaeth cymunedol yn rhad ac am ddim i'r cwmni. Awgrymodd y brawd-yng-nghyfraith:

– Dw i angen rhywun i lanhau'r tir ar dop y bryn bob bore. Mae stad y diawl ar y lle 'na ac mae'r Gorfforaeth wedi dechre cwyno.

— Mae 'da fi jest y boi, meddai'r Swyddog Prawf gan agor ffeil frown ar dudalen ag enw Baloo Williams wedi'i ysgrifennu ar ei blaen.

Dywedai'r adroddiad fod Baloo yn ddeugain mlwydd oed. Bu'n aelod o'r Llynges Fasnachol am ddeunaw mlynedd. Ond, ddwy flynedd ynghynt, bu'n rhaid iddo adael ei waith pan gafodd gnoc ar ei ben wrth ddisgyn drwy howld y llong roedd yn gweithio arni.

Yn ôl yr adroddiad, enw bedydd Baloo oedd Richard Williams, ond roedd wedi newid ei enw drwy gyfraith i Baloo am ei fod yn gwirioni ar gymeriadau Disney, yn enwedig yr arth Baloo o'r ffilm *Jungle Book*. Yn wir, oherwydd ei fod ymhell dros chwe troedfedd o uchder ac yn pwyso tua un stôn ar bymtheg, edrychai'n ddigon tebyg i'r arth hoffus honno.

Ond nid Disney oedd unig obsesiwn Baloo Williams. Wedi iddo adael y Llynges Fasnachol, penderfynodd mai ei swydd ddelfrydol fyddai gyrru bysiau. Ond, oherwydd ei anaf, doedd e ddim yn ddigon iach i basio'r archwiliad meddygol oedd yn angenrheidiol ar gyfer y swydd. Er hynny, treuliai lawer o'i amser yn teithio ar fysiau tan y digwyddiad anffodus chwe mis ynghynt a arweiniodd at y ddedfryd o wasanaeth cymunedol, yn casglu sbwriel ar dop Craig Glais.

O bryd i'w gilydd yn ystod y dydd byddai'n cilio y tu ôl i res o lwyni, rhag ofn i rywun ei weld yn sleifio o'i waith, ac yn mwynhau smôc hamddenol. Wrth i Baloo eistedd y tu ôl i'r llwyni a dechrau rholio sigarét pendronai beth a wnâi ar ôl iddo orffen ei wasanaeth cymunedol ar ddiwedd yr wythnos. Gwyddai na fyddai byth yn gallu bod yn forwr eto, ac roedd ei freuddwyd o fod yn yrrwr bysiau wedi'i chwalu. Teimlai'n isel ei ysbryd, ond bob tro y teimlai'n drist canai Baloo un o ganeuon niferus Disney oedd ganddo ar ei gof i godi'i galon. Eisteddodd ar frig Craig Glais gan ganu pennill o'r ffilm *Jungle Book*...

– Look for the bare necessities, the simple bare necessities, forget about your worries and your strife...

Yna sylwodd fod niwl y môr wedi amgylchynu top y bryn ac yn gorwedd yn llesg ar draws Craig Glais. Clywai gi'n cyfarth yn rhywle. Edrychodd trwy fwlch yn y llwyn a gweld Jack Russell bach brown a gwyn yn rhedeg tuag ato trwy'r niwl. Gwelodd ddyn yn ymddangos.

Cododd Baloo i'w gyfarch, ond stopiodd yn ei unfan gan feddwl y byddai'n well iddo aros o'r golwg rhag ofn i'r dyn ddweud wrth rhywun ei fod yn segura. Felly eisteddodd eto gan droi ei gefn at y dyn a gobeithio y byddai'n cerdded i ffwrdd. Ailgydiodd yn y gân.

– I mean the bare necessities, that's why a bear can rest at ease with just the bare necessities of life...

Enw'r dyn oedd John Burton, a bu'n werthwr yswiriant gyda chwmni yn y dref am bron i wyth mlynedd. Roedd wedi byw bywyd cyfforddus o'r herwydd – tŷ mewn ardal lewyrchus, gwraig, dim plant a chyflog da.

Roedd John Burton wedi cael hansh go fawr o awyr las. Yn dal ac yn denau, edrychai yr un ffunud â'r actor Tom Hanks, sêr ffilmiau fel *Forrest Gump* a *Sleepless in Seattle*. Bu hyn yn ddefnyddiol iddo yn ei waith, oherwydd roedd ei gwsmeriaid yn fodlon ymddiried yn rhywun a edrychai fel actor a gynrychiolai werthoedd megis gonestrwydd a ffyddlondeb.

Ond, y bore hwn, roedd wedi cyrraedd pen ei dennyn, a'r dyn oedd ar fai am ei sefyllfa drychinebus oedd Osama Bin Laden.

Yn sgil y digwyddiadau yn Efrog Newydd ar 11 Medi 2001 a Llundain ar 7 Gorffennaf 2005, dechreuodd prisiau yswiriant godi drwy'r to. Yn ystod y tair blynedd ganlynol roedd llai a llai o bobl yn fodlon talu am yswiriant. Yn sgil hyn, collodd John Burton ei swydd yn 2008. Wrth iddo deithio adref ar ôl cael gwybod ei fod yn ddi-waith penderfynodd John y byddai'n well iddo eistedd i lawr gyda'i wraig Elin a thrafod y sefyllfa.

Ei hymateb hi oedd gweiddi arno a mynnu ei fod e'n cael swydd barchus cyn gynted â phosib. Dwedodd wrtho fod ganddo fis i ddod o hyd i swydd gyda chyflog da, neu byddai'n ei adael. Yn ogystal, mynnai fod John yn dal i adael y tŷ am hanner awr wedi wyth bob bore yn gwisgo'i siwt ac yn esgus ei fod yn dal i weithio.

– Sai eisiau i bobl wybod dy fod ti'n ddi-waith, hisiodd arno.

Y broblem oedd fod John yn briod â gwraig anffyddlon oedd yn aros gydag e am un rheswm yn unig, sef ei gyflog swmpus oedd yn ei alluogi i fyw'n weddol gyfforddus. A'r unig reswm pam roedd John yn aros gyda'i wraig oedd ei fod yn ofni wynebu bywyd ar ei ben ei hun.

Felly bob bore gyrrai John ei gar i'r dre, ei barcio a cherdded i'r Swyddfa Waith i weld a oedd unrhyw swyddi ar gael. Wrth gwrs, erbyn Hydref 2008, roedd y Wasgfa Gredyd wedi dechrau cydio'n arw a'r un oedd yr ateb bob bore. Na. Dechreuodd John sylweddoli y byddai'n rhaid iddo, yn dri deg pum mlwydd oed, ddechrau byw ar ei ben ei hun.

Yna cafodd syniad. Beth pe bai'n cael gafael mewn swydd? Nid swydd go iawn, ond un ddychmygol gyda chwmni yswiriant arall.

Oherwydd bod cyfrifon banc ar wahân gan y ddau, fyddai Elin ddim yn sylweddoli mai dim ond y JSA oedd incwm John bob wythnos. Wedi iddo edrych drwy ffenestri cwmni Paramount Insurance a leolwyd yng nghanol y dre, fe benderfynodd y byddai'n hapus iawn i esgus gweithio gyda staff y swyddfa honno.

Dychwelodd adref i ddweud wrth Elin ei fod wedi cael swydd newydd, a dathlodd y ddau trwy gael rhyw gyda'i gilydd am y tro cynta ers misoedd.

Ond yn awr, chwe mis yn ddiweddarach, roedd dyledion John wedi llyncu'r holl arian oedd ganddo wrth gefn ac roedd e'n methu talu'i dreth. Gwyddai y byddai talu'r dreth yn ei atal rhag medru talu'i ddyledion eraill, ac roedd yr amser talu'n ôl yn prysur agosáu.

Y bore hwnnw roedd John Burton yn gwisgo'i siwt orau, y siwt a wisgai bob dydd i fynd i'w waith dychmygol. Yn ei law chwith daliai ddarn o bren. Roedd y ci'n rhedeg yn wyllt o'i gwmpas. Taflodd John y pren a rhedodd y ci, o'r enw Nip, ar ei ôl. Edrychai John yn syth ar y môr o'i flaen, gan weld dim ond mantell o niwl.

– Bitsh! dwedodd yn isel. – Nawr mae hi'n moyn pwll yn yr ardd. Blydi pwll yn yr ardd.

Roedd Elin, gwraig John, wedi argymell y syniad dros swper y noson cynt.

– Fydd e ddim yn ddrud iawn, cwpwl o filoedd, 'na i gyd, dwedodd Elin gan roi'r platiaid arferol o Chicken Ping i lawr o'i flaen.

– Dy'n ni ddim wedi gwario ceiniog ar y tŷ 'ma ers amser, ychwanegodd cyn cerdded i'r lolfa i wylio *Emmerdale*.

Deffrodd John o'i freuddwyd pan glywodd Nip y ci'n cyfarth. Roedd ganddo ddarn o bren yn ei geg ac edrychai'n wylaidd ar ei feistr. Cymerodd John y darn pren o geg y ci a'i daflu tuag at y llwyni.

Roedd Baloo y tu ôl i'r llwyni yn ceisio cynnau sigarét pan drawyd ef ar ei ben gan y darn pren. Cwympodd y sigarét i'r llawr, a chwympodd y ffaglen Zippo i mewn i'r bag sbwriel wrth ei ochr.

Cododd Baloo y darn pren ac edrych o'i gwmpas. Eiliad yn ddiweddarach roedd dannedd Nip y ci'n cydio yn ei fraich ac yn ceisio'i hysgwyd mewn ymgais i ryddhau'r darn pren.

Penderfynodd Baloo sibrwd geiriau ei gân mewn ymgais i swyno'r ci.

– Now when you pick a paw paw or a prickly pear, and you pick a raw paw next time, beware…

Wrth i Baloo ganu, dechreuodd Nip ryddhau ei afael ar ei fraich cyn eistedd yn ufudd wrth ei ochr.

– The bare necessities of life will come to you… they'll come to you…

Tra bod y ddau'n dod i adnabod ei gilydd, cerddodd John yn agosach at y dibyn. Meddyliodd pa mor anhapus ydoedd. Doedd ef a'i wraig ddim yn caru'i gilydd ers amser, ac os cyfaddefai wrthi ei fod wedi dweud celwydd ynghylch ei swydd newydd, byddai hi'n sicr o'i adael.

Ond roedd bywyd anhapus gydag Elin yn well na bywyd anhapus ar ei ben ei hun, a dyna pam y gwnaeth anwybyddu anffyddlondeb ei wraig dros y blynyddoedd. Darlithydd hanes oedd y cariad cynta, wedyn athro ac wedyn plismon. Ni ddwedodd John air wrth ei wraig ei fod e'n gwybod am ei charwriaethau gyda dynion eraill a gadawodd iddi feddwl na wyddai ddim ychwaith.

Erbyn hyn roedd Baloo yn goglais bola Nip y ci, a'r ddau wedi dod yn dipyn o ffrindiau.

– So just try and relax, yeah cool it, fall apart in my back yard… canodd Baloo yn isel. Dechreuodd Nip lyfu boch ei ffrind newydd gan anghofio'n llwyr am y darn pren. Erbyn hyn roedd fflamau'r Zippo wedi cynnau'r sbwriel ym mag Baloo.

– Wnes i adael iddi feddwl nad o'n i'n gwybod dim am ei chyfrinache, meddyliodd John.

– Ond wedyn, roedd gen innau gyfrinach hefyd. Ta ta cariad, fe wela i di am chwech. Mas o'r tŷ yn fy siwt yn cario nghês, gyrru'r car i'r dre, parcio yn y man arferol, ac yna cuddio drwy'r dydd. Mewn parc, yn y caffi neu'r amgueddfa. Ro'n i'n ddiogel a chartrefol fanna ymysg pethau nad y'n nhw o ddefnydd i neb rhagor, meddyliodd cyn chwerthin ar eironi'r sefyllfa a chymryd cam yn agosach at y dibyn.

Tra bod Baloo a'r ci'n dal i chwarae, dechreuodd y fflamau godi o'r bag sbwriel wrth i'r ffaglen Zippo gynnau. Lledaenodd y tân a chydio yn y llwyn. O'r diwedd dechreuodd Baloo arogli'r llwyn yn llosgi.

Edrychodd John dros y dibyn cyn tynnu nifer o amlenni o'i boced.

– Bilie, bilie, bilie, dwedodd gan daflu'r amlenni i'r gwynt.

– Ond bydd y gath allan o'r cwd pan aiff y beiliffs i'r tŷ a chymryd popeth oddi yno, a hithe gyda nhw, meddyliodd John gan edrych ar yr amlen olaf.

– Canolfan Rhaglenni. Rhy hwyr, rwy'n ofni, chwarddodd gan daflu'r amlen olaf dros ei ysgwydd. Cydiodd y gwynt ynddi a'i chwythu'n ôl o'r dibyn i gyfeiriad y llwyn oedd erbyn hyn yn llosgi'n ffyrnig.

Ar yr ochr arall i'r llwyn roedd Baloo yn ceisio diffodd y fflamau gyda'i got.

– Felly dyna ni. John Burton, *That was your Life*, dwedodd John gan gau ei lygaid.

– A dwyt ti ddim yn mynd i'n helpu i chwaith, nag wyt ti? ychwanegodd gan edrych at yr awyr yn hanner gobeithio gweld hen ddyn â barf wen yn estyn deng mil o bunnoedd iddo o'r cymylau.

– Un cam bach i ddyn, ond un naid hir i John Burton, dwedodd gan edrych dros y clogwyn am y tro olaf cyn neidio i dragwyddoldeb.

Yna, teimlodd boen arteithiol yn lledu trwy ei gorff. Agorodd ei lygaid a gweld nad oedd wedi disgyn ar y creigiau ymhell oddi tano wedi'r cwbl, ond mai dannedd ei gi yn cnoi ei bigwrn oedd yn gyfrifol am y boen.

Sgrechiodd John, cyn dechrau hercian yn boenus ar un goes. Yng nghanol y niwl trodd i weld y llwyn yn llosgi.

– Nefoedd wen! sibrydodd a hercian yn araf tuag ato.

Clywodd swn hisian yn codi o'r llwyn, ac er na wyddai John hynny, roedd Baloo yn piso ar y tân mewn ymdrech i'w ddiffodd. Cerddodd John yn agosach at y llwyn yn hanner disgwyl clywed yr Iôr ei hun yn esbonio'i ddyfodiad fel y gwnaeth i Abraham a Moses gynt. Gwelodd ddarn o bapur wedi hanner llosgi. Cododd ef a'i ddarllen.

– Ymunwch â'r Ganolfan Rhaglenni ac fe gewch ddechrau o'r newydd.

Edrychodd John ar Nip, yna ar y darn o bapur ac yna ar y llwyn.

– Mistar Duw, Mistar Duw, Ma'n nhw'n dweud dy fod ti'n fyw? Mistar Duw y'ch chi gyda ni o hyd?

Clywodd y llwyn yn hisian. Edrychodd unwaith eto ar y darn papur.

– Mistar Duw, y'ch chi moyn imi ymuno â'r Ganolfan?

Hisiodd y llwyn yn uwch wrth i Baloo ddal ati i geisio diffodd y tân. Ynghanol ei wewyr meddyliol, clywai John yr ateb yn glir.

– Ocê… mi wna i hynny… Diolch Mistar Duw … meddai cyn hercian yn frysiog i ffwrdd a Nip yn dynn yn ei sodlau.

Arhosodd Baloo nes bod John wedi diflannu o'r golwg, yna taflodd ei got ar y tân. Wedi tipyn o ymdrech llwyddodd i ddiffodd y fflamau. Gwelodd weddillion llythyr y Ganolfan Rhaglenni a dechreuodd yntau ei ddarllen.

– The bare necessities of life will come to you… will come to you… dwedodd gan wenu.

6

Safai Harri Gibson yn Swyddfa Waith Aberystwyth ar fore gwlyb ar ddechrau mis Awst. Roedd ar bigau'r drain i adael y Swyddfa cyn gynted â phosib am fod yn rhaid iddo orffen adeiladu patio i rywun y bore hwnnw.

Y tu blaen iddo roedd rhyw foi'n parablu'n ddi-baid. Roedd ei wallt wedi'i blethu mewn dull Rastaffaraidd a gwisgai got hir oedd, yn ôl ei golwg, wedi dechrau ei hoes ar gefn Almaenwr yn ystod brwydr Stalingrad yn 1942. Roedd yn amlwg mai rhyw fath o deithiwr oedd y boi, meddyliodd Harri.

– Drychwch 'ma. Mae gen i hawl gyfreithiol i gael cwponau petrol, meddai'r dyn wrth y weinyddwraig oedd yn edrych arno gyda'r llygaid pŵl hynny sy'n angenrheidiol ar gyfer unrhyw un sy'n gweithio mewn Swyddfa Waith.

– Mae'n flin gen i, syr, ond o dan reol deg, cymal tri o'r Ddeddf Budd-daliadau Cymdeithasol dy'ch chi ddim yn gymwys i dderbyn y cymhorthdal hwnnw rhagor, ond os gallwch chi lenwi'r ffurflen hon... atebodd y weinyddwraig cyn i'r dyn dorri ar ei thraws.

– Stwffiwch e. Mae ngwraig i'n styc ar ochr yr hewl bum milltir i ffwrdd. Mae'n rhaid i fi fynd yn ôl ati hi, dwedodd y dyn cyn pwyso'n agosach at y weinyddwraig ac ychwanegu,

– Achos mae 'na lot o bobl od iawn o gwmpas y lle y dyddiau hyn.

Gyda hynny trodd ar ei sodlau a cherdded allan o'r adeilad.

Closiodd Harri at y weinyddwraig.

– Ydych chi wedi gweithio yn ystod y pythefnos diwethaf, Mr Gibson?

– Naddo.

– Arwyddwch fan hyn 'te, dwedodd gan estyn ffurflen iddo.

Llofnododd Harri yn y man priodol, ac roedd ar fin gadael pan glywodd y weinyddwraig yn pesychu.

– Mae'n dweud fan hyn eich bod chi wedi bod yn ddi-waith ers blwyddyn, Mr Gibson.

– Digon gwir.

– Efallai y gallai'r Ganolfan Rhaglenni eich helpu chi.

– Canolfan be?

– Y Ganolfan Rhaglenni. Os gwrthodwch chi fynychu sesiynau'r Ganolfan Rhaglenni, rwy'n ofni y byddwch chi'n colli eich JSA.

– O!

– Hynny yw, bydd yr asiantaeth budd-daliadau'n cymryd yn ganiataol nad ydych chi'n chwilio am waith. Dyma'r llythyr, meddai gan drosglwyddo'r papur i Harri.

– Well i fi ei ddarllen e 'te, dwedodd yntau gan stwffio'r llythyr i'w boced a hanner troi i ffwrdd.

– Well i chi fod yn glou achos ry'ch chi i fod yno ymhen pum munud.

– Beth?

– Mae'n flin gen i, ond ry'n ni wedi sefydlu system gyfrifiadurol newydd yn y swyddfa'n ddiweddar a doedd hi ddim yn bosib anfon llythyr atoch chi, dwedodd y weinyddwraig.

Trodd Harri a dechrau cerdded tua'r drws. Yn sydyn cofiodd rywbeth a dychwelodd at y cownter.

– Gyda llaw, Jean, sibrydodd wrth y weinyddwraig, – pryd wyt ti a Ken eisiau i fi ddod lan i gael bennu'r job insiwlêshon 'na?

– Bydd heno'n iawn, Harri, sibrydodd hithau gan gochi ac edrych dros ei hysgwydd yn euog.

HARRI

1

Roedd aelodau'r Ganolfan Rhaglenni yn cyfarfod mewn ystafelloedd uwchben siop ddillad Andre ym mhrif stryd y dref. Er mwyn eu cyrraedd roedd yn rhaid iddynt gerdded drwy siop oedd yn cynnwys gents, ladies, lingerie a tiny tots, a dringo rhes o risiau yn y cefn.

Roedd y Ganolfan ei hun ar frig y grisiau ac yn rhannu'n dair ystafell, gan gynnwys un ystafell fechan gyda theclyn MaxPax yn y cornel.

Drws nesaf i'r ystafell hon roedd y brif swyddfa gyda thri chyfrifiadur lle câi'r aelodau gyfle i baratoi eu CVau a llythyron at ddarpar gyflogwyr. Hefyd yn yr ystafell hon roedd teleffon a llungopïwr at ddefnydd yr aelodau. Yn yr ystafell gyferbyn â'r grisiau roedd swyddfa Nikkie Rouse, arweinydd ac unig swyddog y Ganolfan.

Er ei bod hi'n teyrnasu dros y Ganolfan, doedd Nikkie ond ychydig dros bum troedfedd o daldra. Gyda'i gwallt wedi'i glymu'n ôl mewn bynsen, edrychai'n debyg i'r frenhines Fictoria. Yn ogystal, roedd tuedd ganddi i siarad drwy un ochr ei cheg a gwnâi hyn iddi edrych, ar adegau, fel dol tafleisiwr.

Cyrhaeddodd Harri Gibson y Ganolfan pan oedd Nikkie ar fin dechrau cyflwyno'i hun i'r aelodau newydd. Eisteddai'r cricedwr brwd, Bryn Yale, a'r gwerthwr yswiriant di-waith, John Burton, wrth ymyl dyn ifanc o'r enw Dafydd Gregory a merch yn ei hugeiniau cynnar, Sioned Prytherch. Eisteddai'r pedwar mewn hanner cylch yn wynebu Nikkie. Wedi i Harri ymddiheuro am fod yn hwyr, ymunodd â'r gweddill.

Dechreuodd Nikkie esbonio am y Ganolfan. Roedd ei hwyneb yn gyfarwydd i Bryn, ond ni allai gofio ymhle y'i gwelsai cyn hynny. Anghofiodd am hyn, serch hynny, wrth iddi gychwyn ar araith hir a diflas am bwysigrwydd y Ganolfan. Bu bron iddo syrthio i drwmgwsg dair gwaith yn ystod y pum munud cyntaf.

Ceisiodd eistedd yn gefnsyth yn ei gadair. Methiant. Yna ceisiodd feddwl am bethau cyffrous, fel y tro diwetha iddo gael rhyw nwydwyllt. Roedd y canlyniad yn union yr un fath â'r tro diwetha iddo geisio cael rhyw nwydwyllt. Dechreuodd gysgu.

Penderfynodd edrych o'i gwmpas i'w ddiddanu'i hun. Wrth iddo syllu ar ei gyd-aelodau, dechreuodd chwarae hen gêm y newyddiadurwr o geisio dyfalu eu personoliaethau a'u cefndir.

Wrth ymyl Bryn eisteddai John Burton. Tra oedd Nikkie yn parablu, sylwodd Bryn fod John yn symud ei wefusau. Roedd yn amlwg ei fod yn siarad gyda fe'i hunan. Diagnosis Bryn: dyn anhapus, y math o foi sy wedi colli'i swydd ond yn methu dweud wrth ei wraig. Methiant mewn bywyd.

Yn eistedd nesaf ond un at Bryn roedd dyn llesg tua 25 mlwydd oed, Dafydd Gregory. Aroglai Bryn gymysgedd o alcohol a mintys ar ei anadl. Sylwodd hefyd nad oedd Dafydd wedi eillio nac ymolchi ers dyddiau. Diagnosis Bryn: dyn gyda gobeithion mawr, ond y rheiny wedi'u chwalu'n deilchion. Yn sgil hyn roedd wedi dechrau yfed yn drwm. Methiant mewn bywyd.

Wrth ymyl y dyn ifanc eisteddai merch oedd tua'r un oedran â Dafydd. Sioned. Roedd hi'n pwyso ymlaen yn ei chadair ac yn llyncu bob gair a ddywedai Nikkie. Diagnosis Bryn: merch gyda gobeithion mawr heb eu dinistrio hyd yn hyn, ond os na wireddai ei breuddwydion yn fuan byddai'n fethiant mewn bywyd.

Yna edrychodd ar Harri a eisteddai ar ben y rhes. Dyn moel yn eistedd fel petai ar gadair hoelion, gan edrych ar ei wats bob yn ail funud a gwingo'n aflonydd. Diagnosis Bryn: dyn yn gweithio ac yn derbyn JSA. Yn ceisio cadw dau ben llinyn ynghyd ond yn methu. Yn gorfod gweithio drwy'r amser ond angen gweithio mwy. Methiant mewn bywyd.

Trodd Bryn ei ben a gweld adlewyrchiad o'i wyneb ei hun yn ffenestr y swyddfa. Dyn gyda ffrwd o wallt gwyn a barf, a gwên ddireidus i'w atgoffa o'i wyneb pan oedd yn ifanc. Diagnosis Bryn: methiant o newyddiadurwr, dwy briodas wedi chwalu, dyn yn llithro'n ddi-droi'n-ôl i henaint. Methiant mewn bywyd.

Roedd gan Nikkie Rouse, serch hynny, feddylfryd gwahanol i un Bryn. Gwelai Nikkie bum person llawn potensial yn eistedd o'i blaen, a'i gwaith hi oedd creu a chynnal hunanhyder y grŵp nes byddai'r aelodau unigol yn dod o hyd i swydd. Roedd wedi teyrnasu dros y Ganolfan ers blwyddyn bellach a hyd yn hyn dim ond llond dwrn o aelodau oedd wedi llwyddo i gael swyddi.

Dim ond wythnos yn ôl roedd y swyddog rhanbarthol wedi rhoi llond pen iddi am fod cyn lleied o'r aelodau'n cael swyddi. Roedd hyn, wrth gwrs, yn adlewyrchu'n wael arno ef, dwedodd wrthi. Wythnos yn unig oedd yna ers i'w uwch-swyddog yntau gael yr un sgwrs gydag ef. Roedd pob un ohonynt yn rhoi'r bai ar y Wasgfa Gredyd a'r dirwasgiad.

Beth bynnag, roedd Nikkie wedi penderfynu gwneud ymdrech lew gyda'r grŵp newydd hwn. Roedd wedi bod yn siarad am tua deng munud pan sylweddolodd fod llygaid Bryn ar gau.

– Bryn! Bryn! Dihunwch! Steddwch lan a gwrandwch! bloeddiodd yn awdurdodol.

Eisteddodd Bryn i fyny yn ei gadair gyda'i lygaid bellach led y pen ar agor.

– Beth dw i wastad yn neud gydag aelode newydd yw rhoi un bob un o'r rhain i chi, dwedodd Nikkie gan estyn darn o gerdyn wedi'i glymu â llinyn i bob un o'r aelodau. Roedd yr enwau Bryn, Sioned, John, Dafydd a Harri wedi'u hysgrifennu arnyn nhw.

– Bydd hyn yn help mawr i ni i gyd wrth ddod i nabod ein gilydd, ychwanegodd, gan wenu ar y pump.

– Beth y'n ni? Efaciwîs? bloeddiodd Bryn, gan adael y cerdyn yn gorwedd ar ei fola.

– Efaciwîs o'r rhyfel, ac mae ein dinas, ein bywyd, yn dioddef o Blitzkrieg! awgrymodd Dafydd.

Cododd Bryn ei aeliau. Mae hwn mewn cyflwr gwaeth nag oeddwn i'n meddwl, dwedodd wrtho'i hun gan edrych yn syn ar Dafydd.

– Trosiad gwych, dwedodd Sioned gan daflu'i gwallt yn ôl dros ei hysgwyddau.

– Blydi hel! Mae hon hefyd mewn cyflwr gwaeth nag oeddwn i'n meddwl, meddyliodd Bryn.

– Y'ch chi'n meddwl hynny? gofynnodd Dafydd gan sylwi ar y ferch am y tro cynta.

Mae hi'n eitha pert, ac mae'n amlwg yn chwaethus os yw hi'n hoffi beth ddwedes i, meddyliodd Dafydd.

– O ydw, atebodd Sioned. – Mor swynol. Mae'n f'atgoffa i o waith Iwan Llwyd.

Eisteddodd Dafydd yn isel yn ei gadair a chroesi'i ddwylo ar draws ei frest. Iwan Llwyd, myn diain i, meddyliodd. Wrth i Sioned daflu'i gwallt yn ôl dros ei hysgwyddau eto, sylwodd Dafydd fod ganddi un glust yn fwy na'r llall.

– Bwriad y Ganolfan yw eich helpu i sylweddoli bod chwilio am waith yn waith ynddo'i hun, dwedodd Nikkie gan geisio bwrw ymlaen gyda rhaglen y bore.

– Esgusodwch fi, ond faint o amser ydyn ni i fod i dreulio 'ma bob dydd? gofynnodd Harri, oedd erbyn hyn yn ysu i adael a mynd at ei waith.

– Gweithio, Harri! atebodd Nikkie fel chwip.

– Nadw i. No way. Fydden i byth yn gweithio a derbyn y dôl, atebodd cyn iddo sylweddoli ei fod wedi camddehongli'r hyn ddwedodd Nikkie.

– Na, Harri. Nid treulio amser fyddwch chi'n wneud yma, ond gweithio. Ond i ateb eich cwestiwn, Harri. O ddydd Llun tan ddydd Gwener o hanner awr wedi naw tan hanner awr wedi hanner dydd.

– Mae'n flin 'da fi, Nikkie, ond y rheswm pam ro'n i'n gofyn oedd am mod i'n gorfod mynd i weld y doctor mewn deng… na, pum munud… wel… nawr. A dweud y gwir rwy'n hwyr yn barod.

Nodiodd Nikkie a sleifiodd Harri o'r swyddfa.

– Dw i'n cofio mynd i Eisteddfod yr Urdd yng Nghaerdydd, dwedodd Sioned.

– 2005, ychwanegodd Dafydd a oedd yn dal yn eistedd yn llipa yn ei sedd.

– Ie. Dyna ni. Cododd Mami, Dadi a minnau am bump o'r gloch y bore am fod y rhagbrofion yn dechrau am naw, dwedodd Sioned, cyn ychwanegu, – Ond pan gyrhaeddon ni Gaerfyrddin, torrodd y car i lawr.

– Difyr iawn, ond sai'n siŵr beth yw eich pwynt, meddai Nikkie oedd eisiau i bawb ganolbwyntio arni hi. Ond doedd Sioned ddim wedi gorffen.

– Stori am fod yn hwyr. Roedden ni hanner can milltir o'r Eisteddfod a dim ond awr oedd ar ôl cyn i'r rhagbrofion ddechrau.

– Ro'n i yng Nghaerdydd 'fyd, chwyrnodd Dafydd. – Ro'n i wedi cystadlu am y goron, dwedodd cyn i Sioned ailgydio yn ei stori.

– Cawson ni dacsi. Goeliech chi fyth faint gododd y gyrrwr tacsi am y siwrnai.

– Cerdd o'r radd isaf bosib. Dyna beth ddwedodd y beirniaid am fy ngwaith, dwedodd Dafydd.

– Saith deg pum punt!

– Wunderkind. Dyna beth roedden nhw'n arfer 'y ngalw i. Wunderkind.

– Saith deg pum punt. A ches i ddim llwyfan chwaith! meddai Sioned gan godi'i hysgwyddau.

– Bastards, dwedodd Dafydd eiliad yn ddiweddarach.

Edrychodd Sioned arno gan feddwl ei fod yn cydymdeimlo â hi, ond doedd y naill na'r llall ddim wedi gwrando ar air o sgwrs ei gilydd.

Bachodd Nikkie ar y cyfle i ehangu'r drafodaeth.

– Y peth pwysica i'w gofio am brofiadau o'r fath yw eich bod yn cadw'ch hunanhyder.

– Digon gwir, dwedodd John Burton wrtho'i hun. Roedd yn ddigon hapus yn hel meddyliau yn y swyddfa gynnes hon. Llawer gwell na cherdded yn y glaw drwy'r bore.

Doedd e ddim wedi gwrando ar air a ddywedwyd hyd yn hyn, ond roedd e'n diolch i Dduw ei fod wedi dod o hyd i rywle newydd i guddio yn ystod y dydd.

Doedd John Burton ddim yn ddyn crefyddol tan y digwyddiad ar Graig Glais pan dderbyniodd y neges gan Dduw trwy'r llwyn yn llosgi fod yn rhaid iddo ymuno â'r Ganolfan Rhaglenni. Ar ôl y digwyddiad hwnnw bu John yn chwilio'n drylwyr ar y we, a darganfu mai dim ond i Abraham, Moses a fe, John Burton, yr oedd Duw wedi ymddangos fel llwyn erioed. Heblaw, wrth gwrs, am Mr Panchard L Whiskum o Poughkeepsie, Efrog Newydd ar 9 Ionawr 1970, a laddodd wyth o bobl y diwrnod canlynol.

Bu John hefyd yn astudio'r Beibl yn drylwyr, gan ddarganfod nad oedd Abraham na Moses – yn wahanol i Mr Panchard L Whiskum – wedi dweud gair am weld y llwyn nes i Dduw roi cyfarwyddiadau newydd iddyn nhw. Penderfynodd John ddilyn esiampl y ddau a dweud dim byd. Credai bod hyn yn arwydd iddo ddal ati i frwydro yn yr un modd ag y gwnaeth yn ystod y chwe mis blaenorol, a pheidio â dweud wrth ei wraig ei fod e'n ddi-waith.

– Hoffwn i chi i gyd ddweud rhywbeth amdanoch chi'ch hunain, dwedodd Nikkie gan edrych ar restr o enwau pawb a ddylai fod yn mynychu'r Ganolfan y bore hwnnw.

– O. Mae un ohonoch chi ar goll. Ble mae Joyce James? gofynnodd Nikkie yn uchel.

– Ble mae Joyce James? Ble mae Joyce James? Y'ch chi eisiau i ni ddal dwylo? Oes unrhyw un yna... dwedodd Bryn cyn i Dafydd dorri ar ei draws.

– Peidiwch â bychanu'r Ocwlt. Fe wnes i ysgrifennu am yr Ocwlt wrth ymgeisio am y Goron yng Nghaerdydd. Cerdd am fy mam-gu oedd hi, a sut roedd hi'n ymdopi yn y nefoedd. Cerdd o'r radd isaf ddwedodd y beirniaid, ond rwy'n gwybod bod rhyw bŵer arallfydol wedi gwenwyno eu meddyliau. Pŵer yr Ocwlt, dwedodd Dafydd.

Aeth popeth yn dawel am eiliad, ac yn y distawrwydd clywyd sŵn traed yn esgyn y grisiau i'r Ganolfan.

– Mae rhywun yn agosáu. Mae rhywun yn agosáu. Ai chi yw Joyce James? Cnociwch unwaith am ie a dwywaith am na, dwedodd Bryn gan anwybyddu rhybudd Dafydd yn gyfan gwbl.

Clywyd dwy gnoc isel ar y drws.

– Dewch i mewn, gwaeddodd Nikkie.

– Joyce James? gofynnodd wrth i rywun ddod trwy'r drws. Ond nid Joyce James mohoni. O'u blaenau safai dyn â ffrwd o wallt coch, yn gwisgo cap â bobl arno a chrys-T Mickey Mouse.

– Nage. Baloo. Baloo Williams. Dw i wedi dod yma i ffeindio hapusrwydd. Dw i eisiau bod yn yrrwr bysiau, dwedodd y dyn yn betrusgar.

2

Cerddodd Harri o'r Ganolfan, cau'r drws ac edrych ar ei wats. Roedd e dros awr yn hwyr i'w waith yn barod. Bydd yn anodd i fi orffen y patio bore 'ma, meddyliodd wrth iddo ruthro i lawr y grisiau.

Gan fod Harri'n edrych ar ei wats ac yn ceisio cynllunio'i

ddiwrnod ar yr un pryd, doedd e ddim yn edrych lle'r oedd yn rhoi ei draed, a syrthiodd yn bendramwnwgl i mewn i un o reiliau dillad siop Andre. Yr eiliad nesaf roedd Harri yn gorwedd ar y llawr wedi'i amgylchynu gan sgertiau. Tynnodd sgert oddi ar ei wyneb a gweld Andre ei hun yn sefyll drosto. Roedd yn amlwg bod perchennog y siop ddillad wedi cynhyrfu.

Estynnodd Andre ei fraich, a chododd Harri ei fraich yntau gan feddwl bod y perchennog yn ceisio'i helpu i godi ar ei draed. Ond unig bryder Andre oedd cyflwr y dillad. Yn lle cydio ym mraich Harri, cydiodd mewn dwy sgert a'u hastudio'n graff. Lledodd gwên ar draws wyneb Andre wrth iddo ddod o hyd i sgert wedi'i rhwygo. Gwthiodd hi o dan drwyn Harri oedd wedi llwyddo erbyn hyn i godi ar ei draed.

– Drychwch beth ry'ch chi wedi'i neud, gwaeddodd Andre oedd yn amlwg wedi bachu ar gyfle euraid i werthu dilledyn cynta'r dydd.

– Ocê. Ocê. Faint yw hi? Dala i amdani hi, dwedodd Harri gan edrych ar ei wats yn aflonydd.

Ddwy funud yn ddiweddarach roedd Harri'n gadael y siop ugain punt yn dlotach ond yn berchen ar sgert fini ysblennydd. Dechreuodd gerdded i lawr y stryd, ond yna gwelodd Joyce James, aelod coll y Ganolfan Rhaglenni, yn hwylio ato fel llong.

– Damo, dwedodd Harri o dan ei anadl.

– Damo, dwedodd Joyce hithe wrth ei weld e.

Roedd Joyce James yn hwyr i'w diwrnod cynta yn y Ganolfan Rhaglenni. Roedd hi eisoes wedi gorfod ymdopi â'r panig boreol o sicrhau bod ei phlant, Diane, 17, a Graham, 14, yn codi, cael cawod a chael brecwast cyn iddi wneud tocyn i'w gŵr, Tony, cyn iddo adael i'w waith fel trydanwr hunangyflogedig.

Ac yn awr roedd yn rhaid iddi wynebu Harri, cyn-ŵr ei chwaer oedd wedi ei adael dair blynedd ynghynt.

– Helô, Harri. Hwn yw'r lle ola 'sen i'n disgwyl dy weld ti, dwedod Joyce gan amneidio â'i phen tuag at siop Andre .

– O's 'na rywun sbesial yn dy fywyd di? ychwanegodd gan gyfeirio at y bag plastig yn ei law. Cyn gynted ag y daeth y geiriau o'i cheg sylweddolodd iddi wneud camgymeriad.

– Nag o's, oedd unig ymateb Harri.

Safai'r ddau yn edrych ar ei gilydd am rai eiliadau a'r ddau'n meddwl am yr un peth.

– Shwt mae Teresa? gofynnodd Harri o'r diwedd.

– Iawn, atebodd Joyce oedd erbyn hyn yn grac wrthi'i hun am agor ei cheg fawr a brifo teimladau ei chyn frawd-yng-nghyfraith.

– Ydi hi'n dal gyda fe? gofynnodd Harri. Methodd orffen y frawddeg oherwydd doedd e ddim yn gallu ynganu enw'r dyn oedd wedi rhedeg bant gyda'i wraig.

– Odi, atebodd Joyce yn glou i geisio arbed rhagor o embaras i Harri.

– A shwt mae Tony? Ydi e'n brysur? gofynnodd Harri er mwyn ceisio newid trywydd y sgwrs.

– Gweddol. Mae 'na wastad alw am drydanwyr, ti'n gwybod… er bod pethe wedi bod dipyn yn dawelach ers i'r Credit Crunch 'ma gydio, atebodd Joyce cyn iddi sylweddoli ei bod hi wedi gwneud cawlach o bethau unwaith eto.

– Yn wahanol i fois sy'n gwitho ar y building, gwaetha'r modd, meddai Harri cyn gwneud esgus i ddianc rhag y sgwrs anghyffyrddus hon.

– Edrych, Joyce, mae'n rhaid i fi sgathru. Mae 'da fi hobl i neud. Neis dy weld di. Ta ta.

Wrth gerdded at ei fan ceryddodd Harri ei hun am ddangos i Joyce bod colli Teresa yn dal i'w frilo hyd yn oed dair blynedd wedi iddyn nhw wahanu.

Roedd e wedi gofyn iddo fe'i hunan dro ar ôl tro beth oedd wedi mynd o'i le yn y berthynas rhyngddo fe a'i wraig. Pan gwrddodd y ddau, roedd Harri newydd adael y fyddin ar ôl pum mlynedd yn gwasanaethu Ei Mawrhydi.

Ar ôl dychwelyd i Aberystwyth yng nghanol y naw degau cafodd waith fel labrwr, ond yn fuan ar ôl cyfarfod â chwaer Joyce aeth ar ei liwt ei hun gan arbenigo mewn gwaith ar doeon tai.

Yn anffodus, rhoddodd ormod o'i egni a'i amser i'r busnes a chyn iddo sylweddoli bod rhywbeth mawr o'i le roedd hi wedi ei adael a symud i Penzance gyda'i chariad newydd, ei hathro Dawnsio Llinell.

Ar ôl iddi adael, collodd Harri bob diddordeb yn ei waith gan aros adref a hel meddyliau am Teresa. Collodd un cytundeb ar ôl y llall, ac aeth ei fusnes i'r wal. Ar ôl yr ysgariad gwerthwyd y tŷ a symudodd Harri i mewn i fflat. Yna, yn araf, dechreuodd ailgydio yn ei fywyd gyda'i unig gryfder – ei ddawn i adeiladu.

Roedd e'n rhy ystyfnig i weithio dros unrhyw un arall, ac roedd yn well ganddo wneud hobls. Erbyn hyn roedd bron â bod ar ei draed unwaith eto, ond allai e ddim fforddio hyd yn hyn beidio â derbyn y budd-dâl tai a dalai am ei fflat, a'r JSA, yn enwedig yng nghanol dirwasgiad pan oedd miloedd o swyddi'n cael eu colli yn y diwydiant adeiladu.

Roedd yn gweithio dros ddeugain awr yr wythnos, felly roedd yn rhaid iddo fod yn garcus rhag ofn i'r Asiantaeth Budd-daliadau ddechrau busnesa.

Eisteddodd yn y fan, agor y ffenestr ac anadlu'n ddwfn. Roedd tair blynedd wedi mynd heibio ers i Teresa adael. Roedd yn hen bryd iddo anghofio amdani a dechrau mwynhau ei hun unwaith eto.

Er ei fod e'n ddeugain mlwydd oed, roedd e'n dal yn ddyn cyhyrog – a hynny oherwydd ei waith corfforol, meddyliodd. Ac er iddo ddechrau moeli roedd e wedi dechrau torri'i wallt yn drwsiadus o fyr. Edrychodd ar y bag oedd yn dal y sgert, a sylweddolodd nad oedd e wedi bod gyda menyw ers i Teresa ei adael. Efallai ei bod hi'n hen bryd iddo ddechrau o'r newydd, meddyliodd, wrth danio injan y fan a gyrru i'w waith.

3

Yn y Ganolfan Rhaglenni roedd Nikkie wedi dechrau holi Baloo am ei gefndir. Os gallai hi ddarganfod rhyw ddawn ynddo, efallai y gallai ddangos i'r gweddill ei bod yn bosib i bob un ohonyn nhw lwyddo i gael swydd. Hunanhyder a dyfalbarhad oedd y geiriau pwysig.

– Baloo. Ydych chi wedi gyrru bysie o'r blaen? Oes trwydded PSV gennych chi? gofynnodd Nikkie.

– Ydw, a nag ydw. Dw i'n gyfarwydd â theithio. Ro'n i'n arfer bod yn y Llynges Fasnachol, White Star Line. Anabl nawr. Damwain. Ond cyn 'ny ro'n i wedi teithio o gwmpas y byd, meddai Baloo.

– Felly, does gennych chi ddim profiad fel y cyfryw o yrru bysie? gofynnodd.

– Na, cytunodd Baloo yn ddistaw.

Anadlodd Nikkie yn ddwfn. Roedd hyn yn mynd i fod yn waith caled. Yna gwelodd wên yn lledu ar draws ei wyneb.

– Oes, oes. Gyrres i fws Greyhound o Baton Rouge i New Orleans unwaith, dwedodd.

Cododd Nikkie ei breichiau'n fuddugoliaethus.

– Gwych. Felly *mae* gennych chi brofiad, dwedodd cyn troi at y gweddill.

– Cofiwch, bawb. Mae hyn yn bwysig. Peidiwch â diystyru unrhyw brofiad ry'ch chi wedi'i gael yn ystod eich bywyde.

Edrychodd John yn gegagored ar Baloo. Roedd hwn yn amlwg yn hollol gaga, meddyliodd.

Ond doedd Baloo ddim yn hollol gaga. Roedd e'n ddigon

craff i beidio â sôn wrth Nikkie am yr heddlu'n cwrso'r bws Greyhound am 100 milltir ar y briffordd rhwng Baton Rouge a New Orleans cyn i Baloo gyrraedd Dinas Creole a diflannu i'r strydoedd cefn cyn dychwelyd at ei long.

Roedd e hefyd yn ddigon craff i beidio â sôn am y digwyddiad anffodus, chwe mis ynghynt, pan gafodd ei ddal yn gyrru heb yswiriant na thrwydded mewn cerbyd a gafodd ei ddwyn... sef bws.

Baloo oedd yr unig deithiwr ar yr X50 a deithiai rhwng Aberystwyth ac Aberteifi pan stopiodd gyrrwr y bws ym mhentref Llanarth, hanner ffordd rhwng y ddwy dre. Gadawodd y gyrrwr y bws gyda'r injan yn troi a rhedeg nerth ei draed at doiled cyhoeddus y pentref. Roedd e'n diodde o'r dolur rhydd ac o ganlyniad bu yn y toiled am chwarter awr.

Yn y cyfamser penderfynodd Baloo gerdded at flaen y bws, camu i mewn i sedd y gyrrwr, gollwng y brêc llaw, a gyrru i ffwrdd. Yn ôl yr adroddiad seiciatryddol yn ffeil ei Swyddog Prawf roedd Baloo wedi ymgolli'n llwyr ym myd Disney ers dyddiau ei blentyndod a'i uchelgais oedd teithio i EuroDisney ym Mharis. Methodd Baloo oresgyn y temtasiwn o ddwyn y bws a'i yrru i Dover cyn croesi i Ffrainc. Ond er gwaetha'i ymdrechion, daliwyd Baloo ger Bryste wedi i'r bws stopio oherwydd diffyg tanwydd.

Penderfynodd ustusiaid ei mawrhydi orfodi Baloo i gyflawni Gwasanaeth Cymunedol yn hytrach na'i anfon i'r carchar am dri mis. Er hynny, esboniwyd iddo'n blwmp ac yn blaen, pe bai'n torri'r gyfraith unwaith eto, y byddai'n cael ei garcharu am gyfnod hir.

– Wel, Nikkie, y'ch chi'n meddwl bod siawns go lew 'da fi o yrru bws? gofynnodd Baloo, ar ôl iddo orffen ei stori am yrru'r Bws Greyhound o Baton Rouge i New Orleans.

– Yn bendant, atebodd Nikkie gan wenu'n siriol ar ei disgybl.

Gwenodd Baloo. Roedd e'n hoffi'r lle 'ma'n barod. Roedd e wedi cynhyrfu gymaint fel y dechreuodd ganu.

– Who's the leader of the gang that's made for you and me… N.I.K.K.I.E. R.O.U.S.E…

Edrychodd pawb yn syn arno, pawb ond Sioned a ddeallodd fod Baloo yn canu cân Clwb Mickey Mouse. Dechreuodd Sioned ganu gyda Baloo.

– Hey there, Hi there, Ho there, you're as welcome as can be, come along and sing a song and join the jamboree… canodd y ddau. Stopiodd y canu pan glywyd cnoc ar ddrws y Ganolfan. Eiliad yn ddiweddarach cerddodd Joyce i mewn i'r swyddfa.

– Helô. Sori mod i'n hwyr. Fi yw Joyce James, dwedodd.

– Croeso i Glwb Mickey Mouse, meddai Bryn Yale.

4

Roedd pawb yn sefyll neu'n eistedd o gwmpas y peiriant MaxPax. Roedd Joyce wedi ymddiheuro i Nikkie am fod yn hwyr ac wedi dechrau esbonio'i chefndir iddi.

– Dw i wedi gweithio ar bob check-out yn Aberystwyth yn ystod yr ugain mlynedd ddiwethaf… Co-op, Safeways, Somerfield, Kwik Save, Morrisons. Erbyn y diwedd ro'n i'n gwbod pris pob un o'r nwydde ar 'y nghof… o artichokes, 90 ceiniog y kilo… i Zantac, 80 ceiniog am becyn o ddeg. Yna, flwyddyn yn ôl, llwyddais i gael swydd fel is-reolwr gyda Manchester United y byd 'retail' – Woolworths.

– O diar… nid yr amser gorau, cynigiodd Nikkie.

– Chi'n iawn. Ers i mi golli ngwaith Nadolig diwetha mae wedi bod yn amhosib cael swydd arall… a dyma fi. Rwy'n benderfynol o gael swydd.

– Rwy'n siŵr y gallwn ni eich helpu chi, dwedodd Nikkie, – cyn i Joyce ychwanegu, – Ond mae Tony, y gŵr, wedi dechrau cwyno'n barod. Rwy'n credu ei fod e'n ddigon hapus i nghadw fi adre. Ofynnes i iddo fe'r bore 'ma... Beth ddigwyddodd i'r dyn sensitif wnes i briodi... a chi'n gwbod beth wedodd e?... Briodes i! Allwn i fod wedi'i grogi e.

– Alla i gredu 'ny 'fyd, dwedodd Bryn, gan edrych ar ddwylo anferth Joyce. Roedd hi'n fenyw nobl ar y naw, meddyliodd. Roedd hi bron yn chwe throedfedd o daldra a chanddi ysgwyddau a chluniau blaenasgellwr o Orllewin Samoa. Roedd Tony James yn ddyn dewr iawn i ddadlau â'i wraig, meddyliodd.

– Ta beth, rwy 'ma nawr ac yn benderfynol o gael swydd, ychwanegodd Joyce.

– Mae'n hyfryd gweld rhywun sy mor frwdfrydig, atebodd Nikkie gan edrych yn daer ar Bryn, oedd wedi bod yn syllu ar Nikkie am rai eiliadau.

Closiodd Bryn at y ddwy.

– Dw i'n siŵr ein bod ni wedi cyfarfod rhywdro o'r blaen, dwedodd Bryn wrth Nikkie gan edrych arni'n graff.

– Na, dw i ddim yn credu, atebodd Nikkie yn gyflym.

Braidd yn rhy gyflym, meddyliodd Bryn.

Wrth eu hymyl roedd Sioned yn siarad gyda Dafydd.

– Mae Mami a Dadi yn tynnu mlaen ac rwy'n teimlo'n gyfrifol amdanyn nhw. Wrth gwrs, fe allen i adael cartre i ddilyn fy ngyrfa, ond mae mhresenoldeb i'n eu cadw nhw'n ifanc, dwedodd Sioned.

Roedd Dafydd yn gwrando'n astud arni gan daflu cip slei ar ei chorff bob hyn a hyn.

Sylwodd John fod Baloo yn ceisio siarad â'r teclyn coffi. Roedd e'n sibrwd yn dyner i mewn i'r man gollwng arian.

– Plîs, alla i ga'l diod? Cwpanaid o goffi, te neu goco, unrhyw beth. Dw i wedi rhoi deugain ceiniog i ti.

Erbyn i Baloo orffen pledio roedd pawb wedi tawelu ac yn ei wylio'n siarad â'r teclyn.

– Beth sy'n bod, Baloo? gofynnodd Dafydd.

– Dyw'r teclyn hyn ddim yn lico fi. Dw i wastad wedi cael trafferth gyda pheirianne. Roedd peiriant cynhyrchu trydan ar y *Sirius* yn casáu fi. Bob tro ro'n i'n cyffwrdd ynddo fe, ro'n i'n cael sioc drydanol.

– Mae'n wir nad yw dyn a'i greadigaethau bob amser yn medru cydfodoli. Dw i'n cofio ysgrifennu cerdd am hyn… Wylit wylit Newton, wylit wifrau pe gwelit hon… dwedodd Dafydd cyn i Bryn dorri ar ei draws gan gamu at y teclyn.

– Mas o'r ffordd, Baloo. Let the dog see the rabbit, dwedodd Bryn gan glosio at y teclyn.

– Reit, Pal. Mae fy ffrind fan hyn wedi rhoi deugain ceiniog i ti, a do's dim byd wedi dod mas. Dw i'n mynd i gyfri lan i dri ac yna dw i'n mynd i roi cweir i ti, sibrydodd Bryn. – Alli di ddim rhedeg i unman, ychwanegodd.

Eiliad yn ddiweddarach, disgynnodd cwpan plastig o'r teclyn.

– Diolch yn fawr, dwedodd Bryn gan roi cwpanaid o goffi i Baloo a cherdded yn ôl at Nikkie.

– Dim ond mater o hunanhyder, Nikkie, dwedodd Bryn gan wincio'n gellweirus arni, cyn ychwanegu – Popeth yn iawn nawr, Baloo?

– Ydy, diolch. Mae peirianne'n casáu fi. Ond mae bysie'n wahanol. Maen nhw'n canu caneuon prydferth. Mor hyfryd yw canu grwndi bysiau. Mae e fel cân y morfil. Ond mae'r gân ore'n dod o'r Greyhound, y bws nid y ci, meddai Baloo gan edrych at John. – Mae tamed bach o filgi yn eich ci chi, 'yn does e John? ychwanegodd gan gofio'r digwyddiad pan losgodd y llwyn ar ben Craig Glais.

– Nag o's, Jack Russell yw e, atebodd hwnnw gan wgu. Sut yn y byd y gwyddai Baloo fod ganddo gi? meddyliodd John. Oedd e'n ei wylio, yn rhyw fath o nytar oedd yn dilyn pobl?

– Mistar Duw, Mistar Duw y'ch chi'n fyw? Mistar Duw, y'ch

chi'n moyn imi ymuno â'r Ganolfan, gofynnodd Baloo.

– Beth? Sut...? atebodd John, gan gofio'r diwrnod pan oedd ar fin lladd ei hun.

Dechreuodd Baloo esbonio gan ddweud wrth bawb ei fod wedi mynd am dro i Graig Glais un bore, yn hytrach na dweud y gwir wrthynt am ei gosb gymunedol. Disgrifiodd y llwyn yn mynd ar dân ac ymateb John i'r digwyddiad.

– Diolch yn fawr, Mistar Duw. Diolch yn fawr, Mistar Duw, chwarddodd Baloo.

Suddodd calon John wrth iddo sylweddoli nad efe oedd y dethol un i ddilyn yn ôl troed Abraham a Moses a chael llinell uniongyrchol at Dduw. Gwenodd yn wan.

– O....dwi'n cofio'r bore 'ny....ie.....ie... ro'n i ar y ffôn symudol i... i'r banc... ie... ro'n i'n siarad â Miss Pardew... Ie... 'na beth glywsoch chi... Miss Pardew... nid Mistar Duw... camgymeriad hawdd i'w wneud, gorffennodd John, a oedd erbyn hyn yn edrych yn welw iawn.

Daeth Bryn yn ymwybodol o embaras John a phenderfynodd newid trywydd y sgwrs.

– Ro'ch chi'n sôn am y bws Greyhound fan'na, Baloo. Mae'n rhaid i fi gyfadde bod yn well gen i geir na bysie. Sai'n gwybod beth fyddwn i'n neud heb fy Citroën deux Cheveux, dwedodd Bryn.

– Dw i wedi'ch gweld chi'n ei yrru heibio i'n tŷ ni sawl tro. Ydych chi'n byw ym Mhenrhyn-coch? gofynnodd Sioned.

– Spot on. Rhyw hanner milltir tu fas i'r pentref. Fe alla i roi lifft adre i chi prynhawn 'ma os y'ch chi'n moyn, awgrymodd Bryn gan sylwi fod Dafydd yn gwrando'n astud ar eu sgwrs.

Roedd Sioned wedi creu cryn argraff ar Dafydd pan gyfarfu'r ddau yn y Ganolfan y bore hwnnw. Efallai mai Sioned fyddai ei Forfudd a'i awen, meddyliodd Dafydd, ac y gallai hi ei ysbrydoli i ysgrifennu cerddi o'r safon uchaf. Penderfynodd fachu ar y cyfle i geisio cyfarfod â Sioned unwaith eto'r prynhawn hwnnw.

– Diolch. Bydde hynny'n grêt, dwedodd Sioned wrth Bryn.

– Bydd yn rhaid i fi fynd i Swyddfa'r Gorfforaeth yn gynta. Mae 'da fi broblem fach i'w datrys, dwedodd Bryn.

Wrth i John glywed Bryn yn sôn am Swyddfa'r Gorfforaeth, cofiodd nad oedd wedi talu ei dreth ar gyfer mis Gorffennaf. Edrychodd ar galendr ar y wal o'i flaen. Dydd Llun y trydydd o Awst 2009.

Roedd i fod i dalu'r dreth oedd yn ddyledus i'r Gorfforaeth erbyn y dydd Gwener cynt. Cododd o'i sedd a rhuthro allan o'r swyddfa heb ddweud gair wrth neb.

5

Ar ôl i Harri gyrraedd ei waith, bwrodd iddi fel un o gaethweision Ffaro. Awr yn ddiweddarach roedd yn edrych yn falch ar y patio gorffenedig pan glywodd lais y tu ôl iddo.

– Ry'ch chi wedi gwneud jobyn da.

Gwelodd Harri fenyw yn gwenu arno. Dim ond ei phen a welai oherwydd roedd hi'n sefyll y tu ôl i wal a rannai ei gardd hi a gardd y cymydog y bu Harri'n gweithio ynddi.

– Fyddech chi'n ystyried gwneud jobyn i fi? gofynnodd y fenyw.

– Beth sy angen ei neud? gofynnodd Harri yn llawn chwilfrydedd.

– Dw i eisie adeiladu pwll bach yn yr ardd.

Gwych. Sialens newydd, meddyliodd Harri.

– Fe ddo i draw yn syth ar ôl tacluso fan hyn Mrs… ? dwedodd Harri.

– … Elin. Galwch fi'n Elin, atebodd gwraig John Burton.

6

Wythnos ynghynt, eisteddai Malcolm Grey yn ôl yn ei gadair esmwyth gan feddwl beth fyddai'n rhaid iddo beidio â'i wneud nesaf. Roedd Mr Grey yn un o uwch-swyddogion y Gorfforaeth. Ei swydd oedd cydlynu a chyfarwyddo staff y Gorfforaeth. Disgrifiad tecach a mwy cywir, efallai, fyddai dweud ei fod yn gwneud cyn lleied â phosib ei hun a sicrhau bod pawb arall yn gweithio mor galed â'r hen Stakhanov.

Un o gyfrifoldebau Mr Grey oedd penodi a dyrchafu staff y Gorfforaeth, yn ogystal â sicrhau bod peirianwaith y Gorfforaeth yn symud yn llyfn. Wrth gwrs, oherwydd ei fod mor effeithiol yn ei swydd, doedd gan Mr Grey ddim byd i'w wneud heblaw mynychu cyfarfodydd i sicrhau bod peirianwaith y Gorfforaeth yn symud mor araf â phosib, a threulio oriau yn ei swyddfa yn diddanu'i hun.

Bownsiodd Mr Grey i fyny ac i lawr ar ei gadair ledr ysblennydd oedd wedi cyrraedd y bore hwnnw. Pwysodd ymlaen gan agor drôr isaf ei ddesg a thynnu eilliwr trydanol allan.

– Na, dim nawr. Mi wna i hynny'n nes ymlaen. Rhywbeth i edrych ymlaen ato, meddyliodd cyn codi a dechrau camu o gwmpas ei swyddfa. Ar ôl rhai eiliadau, dechreuodd wenu wrth iddo sylweddoli nad oedd yn meddwl am unrhyw beth. Hyfryd. Diflannodd y wên pan glywodd y ffôn yn canu. Cerddodd yn ôl at ei ddesg a'i ateb.

– Grey. Beth yw'ch neges? dwedodd yn chwyrn cyn clywed bod rhywun eisiau ei weld.

– Gadewch e i mewn, ychwanegodd cyn rhoi'r ffôn i lawr a rhuthro at ffenest y swyddfa a'i hagor led y pen.

Clywodd dair cnoc galed ar ddrws ei swyddfa.

– Dewch i mewn, gwaeddodd Grey.

Daeth arogl cas i mewn i'r swyddfa, a dilynwyd hwnnw eiliad

yn ddiweddarach gan Glyn Pugh, y ffermwr oedd â'i dir yn ffinio
â thir Bryn Yale.

– Shwd wyt ti'r broga? gwaeddodd Glyn gan gamu ymlaen
ac estyn ei fraich i siglo llaw Grey. Eisteddodd Grey a gwahodd
Glyn i eistedd yn y gadair ledr esmwyth.

– Beth alla i neud i ti'r tro 'ma, Glyn? gofynnodd Grey.

– Dim ond galw draw i weld hen ffrind, Malcolm bach,
meddai Glyn Pugh gan eistedd yn y gadair ledr a thynnu'i gap a'i
roi ar ei ben-lin.

– Pleser pur fel arfer, atebodd Grey yn gelwyddog.

Ar hyd y blynyddoedd roedd Grey wedi rhoi cyngor a help
llaw i Glyn Pugh droeon, yn enwedig yng nghyfnod yr arian
cymhorthdal a grantiau di-rif o Ewrop oedd ar gael ar gyfer
ffermwyr yn yr 1980au a'r 90au.

Roedd Grey wedi helpu Glyn oherwydd bod arno ddyled
enfawr i'r ffermwr ers i'r ddau fod yn yr ysgol gynradd gyda'i
gilydd hanner can mlynedd ynghynt. Pan oedd yn un ar ddeg oed
roedd Pugh wedi achub bywyd Grey, ac yntau'n saith mlwydd
oed ar y pryd.

Yn ystod gaeaf 1957 roedd nifer o blant y pentref wedi
penderfynu sglefrio ar lyn oedd wedi rhewi. Yn anffodus i Grey,
roedd rhan o'r llyn wedi dechrau dadlaith a chwympodd i mewn
i'r dŵr. Aeth o dan y rhew, ond llwyddodd Glyn Pugh i'w
achub.

Wrth i Grey eistedd yn ôl yn ei gadair a gwylio Pugh, cofiodd
eiriau ei fam ar ôl iddo gael ei gario adre gan Glyn.

– Rwyt ti'n addo dy fywyd i Glyn, a phaid ti byth ag anghofio
hynny.

Ond doedd dim gobaith ganddo anghofio oherwydd byddai
Glyn Pugh yn galw draw i swyddfeydd y Gorfforaeth i'w
atgoffa'n gyson.

– Beth wyt ti'n moyn, Glyn? gofynnodd Grey yn fyr ei
amynedd.

– Malcolm, Malcolm. O's rhaid i rywun fod yn moyn rhywbeth pan mae e'n penderfynu galw i weld hen ffrind ysgol? Jiw, dw i'n cofio ti'n dechre'r ysgol… roedd dy…

Caeodd Grey ei lygaid wrth i Pugh draethu am eu plentyndod nes iddo gyrraedd y diweddglo arferol.

– A wna i fyth anghofio dy fam yn dweud trwy ei dagre, rwyt ti'n addo dy fywyd i Glyn a phaid byth ag anghofio hynny, meddai Glyn gan dynnu hances boced o'i lawes a chwythu'i drwyn.

Agorodd Grey ei lygaid, pwyso ymlaen yn ei sedd a chodi beiro oddi ar y ddesg.

– Beth wyt ti'n moyn, Glyn?

Pwysodd Pugh ymlaen nes bod y ddau drwyn wrth drwyn.

– Bydde dy fam druan, heddwch i'w llwch, yn hapus iawn wrth dy weld di nawr, dwedodd Pugh gan edrych tua'r nen am eiliad mewn parch.

Tynnodd ei sedd yn agosach at y ddesg a sibrwd wrth Grey.

– Nawr 'te. Mae 'na foi yn byw mewn carafán wrth ymyl 'y nhir i. Sai'n credu bod ganddo fe ganiatâd cynllunio i fyw yn y garafán. Dw i'n moyn i ti ffeindio mas a o's caniatâd 'da fe ac wedyn… pwysa arno fe. Bydde cael 'i wared e'n gwneud 'y mywyd i dipyn yn haws, meddai Pugh gan wincio ar Grey.

– Enw a chyfeiriad? gofynnodd Grey gan ochneidio.

– Yale. Bryn Yale, Y Garafán, Cae Martha, Penrhyn-coch.

– Fe wna i ngore, Glyn, dwedodd Grey gan godi ar ei draed.

– Gwd boi, atebodd Pugh gan wisgo'i gap ar ei ben a gadael.

JOHN

1

Roedd Phillip Hassock yn ddyn chwerw. Serch hynny, roedd yn hapus i fod yn ddyn chwerw oherwydd o'r diwedd, yn bump ar hugain mlwydd oed, roedd wedi darganfod gwrthrychau teilwng i chwydu'i chwerwder drostynt.

Ers chwe mis bellach, bu'n gweithio yn swyddfa dreth y Gorfforaeth ac yn mwynhau pob eiliad. Bob dydd, eisteddai y tu ôl i sgrin wydr gan gam-drin aelodau mwya diymgeledd cymdeithas. Nhw â'u cwynion a'u hesgusodion am fethu talu eu trethi. Doedd gan Phillip Hassock, BA, ddim cydymdeimlad o gwbl â'r rhain.

Wedi iddo ennill gradd mewn Hanes yng Ngholeg Prifysgol Aberystwyth dair blynedd ynghynt, bu Phillip yn ymgeisio'n aflwyddiannus am swyddi yn y Gwasanaeth Sifil yn Llundain a Chaerdydd. Penderfynodd ostwng ei olygon ac ymgeisio am swyddi gyda'r Gorfforaeth. Yn y cyfamser bu'n rhaid iddo dderbyn JSA. Yn y cyfnod hwnnw, pan oedd ar y dôl, bu'n rhaid i Phillip Hassock, BA, fynychu'r un swyddfeydd â'r di-waith. Bu'n rhaid iddo hyd yn oed sgwrsio gyda rhai o'r bobl hyn, ac roedd y profiad wedi gadael craith seicolegol ddofn arno.

Eisteddodd Phil yn ôl yn ei sedd ac edrych ar adlewyrchiad ohono ef ei hun yn y gwydr. Sylwodd fod croen ei wyneb yn iach, o ganlyniad i fynd i'r gwely'n gynnar bob nos. Ymfalchïai yn ei siwt a gostiodd £400. Phillip Hassock, BA, ry'ch chi ar fin cyrraedd, meddyliodd.

Wrth ei ochr eisteddai cyd-weithiwr o'r enw Iwan. Roedd yn dair ar hugain mlwydd oed ac wedi gweithio yn y swyddfa ers iddo adael yr ysgol chwe blynedd ynghynt ar ôl llwyddo i ennill un lefel A. Yn nhyb Phillip Hassock, BA, roedd Iwan rhywle rhwng amoeba a spirogyra ar yr ysgol esblygiadol.

Edrychodd y ddau ar ei gilydd.

– Dw i'n gweld â'm llygad bach i, rhywbeth yn dechrau â 'd', dwedodd Iwan.

– Drws, cynigiodd Phil yn sych.

– Cywir. Dy dro di, dwedodd Iwan.

– Dw i'n gweld â'm llygad bach i, rhywbeth yn dechrau â 'd', dwedodd Phil.

– Drws? gofynnodd Iwan.

– Cywir. Dy dro di, dwedodd Phil.

– Dw i'n gweld â'm llygad bach i, rhywbeth yn dechrau â 'd', dwedodd Iwan.

– Drws? dyfalodd Phil.

– Damo. Cywir, dy dro di, dwedodd Iwan.

– Dw i'n gweld â'm llygad b… Stopiodd Phillip pan glywodd sŵn traed yn nesáu at ddrws y swyddfa.

Stopiodd y sŵn traed ac yna clywyd cnoc isel. Tawelwch. Yna clywyd cnoc isel arall.

– Cnociwch yn uwch. Alla i mo'ch clywed chi! bloeddiodd Phil.

Clywyd cnoc ychydig yn uwch.

– Na. Alla i mo'ch clywed chi o hyd. Cnociwch yn uwch, bloeddiodd Phil unwaith eto.

Clywyd tair cnoc uchel ar y drws.

– Dyna welliant. Dw i'n eich clywed chi nawr. Dewch i mewn, dwedodd.

Agorodd John Burton y drws a cherdded yn araf tuag at y sgrin wydr.

– Prynhawn da, dwedodd John yn dawel.

– Ie, oedd ateb swta Phil.

– Ym. Mae gen i broblem… sut alla i ddweud… mae e'n fater braidd yn ddelicet, sibrydodd John.

– Ie, dwedodd Phil yn fecanyddol unwaith eto.

Closiodd John at y sgrin gan wthio'i drwyn yn erbyn y gwydr.

– Y Dreth. Dw i'n methu talu… ar hyn o bryd.

Ochneidiodd Phil yn uchel cyn troi at Iwan.

– Un arall sy'n methu talu'i drethi, Iwan. Beth ddweda i wrtho fe?

– Mae'n rhaid iddo fe dalu, oedd ateb Iwan.

Trodd Phil yn ôl at John.

– Mae'n rhaid i chi dalu.

– Neu… ychwanegodd Iwan yn awgrymog.

– Neu… adleisiodd Phil.

– Neu beth? gofynnodd John yn betrusgar gan edrych o'r naill i'r llall.

– Di-waith? gofynnodd Phil.

Nodiodd John.

– Ro'n i'n ddi-waith unwaith. Roedd e'n uffernol. Ond mae gen i swydd ddiogel nawr. Ble ry'ch chi'n byw? Mr..? gofynnodd Phil yn wresog.

– Burton. John Burton. Waunfawr.

– Waunfawr. Ardal pobl lewyrchus. Neis iawn.

– Dw i ddim yn llewyrchus. Dim ers i fi ddiodde gyda'r broblem hon, dwedodd John cyn i Phil dorri ar ei draws yn chwyrn.

– Problem! Gwranda ar hwn, Iwan. Mae e'n galw diweithdra'n broblem. Fel petai e'n ddarn o sbinaitsh yn sownd yn eich dannedd chi. Chi yw'r broblem, Pal. Talwch neu ewch o 'ma.

– Ond… dechreuodd John ymbilio.

– Ry'ch chi'n cael gostyngiad yn eich treth oherwydd eich bod chi'n ddi-waith. Beth arall y'ch chi'n moyn?

– Gostyngiad? Pa ostyngiad? gofynnodd John yn ddryslyd

– O diar. O diar, diar, diar, dwedodd Phil gan godi'i ben a chwerthin.

– Allwn ni ddim dweud pob dim wrthoch chi. Meddyliwch

am y gost o ddweud wrth bawb. Byddai'n rhaid i ni godi'r dreth wedyn. Dyw pobl fel chi ddim yn sylweddoli pa mor ffodus y'ch chi.

– Ond mae hyn yn annheg, dwedodd John, gyda deigryn yn dechrau cronni yn ei lygad.

– Mae bywyd, Johnny Boy, yn annheg. Talwch neu Ta Ta.

Wrth i John symud at ddrws y swyddfa, agorwyd hwnnw'n sydyn a brasgamodd Bryn i mewn.

– Reit, Pal, rwy eisiau gweld y bòs, dwedodd Bryn.

Edrychodd Phil yn syn arno.

– Capiche. Comprendre... Y bòs. El Presidente, gwaeddodd Bryn gan chwifio darn o bapur uwch ei ben fel Chamberlain ar asid.

Sylweddolodd Bryn fod John Burton yn sefyll wrth ei ochr.

– Helô, John. Dwyt ti ddim yn cael trafferth gyda'r mwncïod 'ma, wyt ti?

– Na, na. Mae popeth yn iawn, dwedodd John gan wenu'n wan. Yna tynnodd ei garden credyd o'i waled a thalu ei dreth.

– Da iawn. Nawr, doedd hynna ddim yn anodd, oedd e? meddai Phil.

Gwenodd John yn wan a cherdded o'r swyddfa heb yngan gair arall.

Trodd Bryn at y cownter a thaflu darn o bapur o dan y sgrin.

– Darllen hwnna, Pal. Ges i fe drwy'r post y bore 'ma.

Darllenodd Phil y papur cyn dweud, – Dw i'n deall eich bod chi'n byw yn anghyfreithlon ar dir heb ganiatâd cynllunio arno. Mae'r llythyr yn dweud yn glir nad oes hawl gennych chi i wneud hyn, esboniodd Phil. – Does dim byd y galla i wneud. Dyna'r gyfraith! Ta ta, ychwanegodd.

– Arse! ebychodd Bryn. – Pa gyfraith sy'n gwrthod caniatâd i ddyn fyw ar ei dir ei hunan?

– Dw i ddim yn credu eich bod chi'n deall y sefyllfa, syr. Pe bai pawb yn gwneud beth fynnan nhw ar eu tir eu hunain, byddai bob math o ling-di-longs a riff-raff yn gallu byw mewn carafannau ymhobman. Cynllunio. Dyna'r ateb. Cynllunio, cynllunio a mwy o gynllunio. Dyna beth sy ei angen. Wedyn byddai pawb – gan gynnwys chi, Mr Yale – yn hapus. Dydd da. Ta ta, dwedodd Phil gan drosglwyddo'r llythyr yn ôl i Bryn.

– Dw i eisie gweld pennaeth yr adran. Y boi sy'n chwarae'r organ, nid y mwnci.

– Ta ta, oedd unig ateb Phil i'r cais hwn.

– Beth?

– Ta ta. Symudwch i B & B neu bedsit.

– Beth yw dy enw di, y shit bach sbeitlyd? gofynnodd Bryn, a'i wyneb yn cochi fel bitrwt.

– Sbeitlyd? adleisiodd Phil.

– Nage. Shit bach sbeitlyd, meddai Iwan cyn sylweddoli bod rhywun yn sefyll y tu ôl iddo fe a Phil.

– Beth yn y byd sy'n mynd ymlaen, Mr Hassock? gofynnodd y dyn.

– Mae problem gyda'r dyn 'ma, atebodd Phil.

Edrychodd y dyn ar Bryn. – Beth yw ei broblem, Mr Hassock? Amphetamines neu Temazepam? sibrydodd y dyn yng nghlust Phil.

– Mae e wedi bod yn eitha ymosodol, atebodd Phil.

Edrychodd Bryn ar y dyn oedd yn dal i wenu arno. Roedd yn gwenu fel petai'n ceisio cachu asgwrn. Malcolm Grey, uwch-swyddog gyda'r Gorfforaeth, a ffrind mynwesol y ffermwr Glyn Pugh.

– Alla i weld y llythyr 'na? gofynnodd Mr Grey.

Trosglwyddwyd y llythyr iddo ac fe'i darllenodd gan sylweddoli mai Bryn oedd y dyn roedd Glyn Pugh wedi sôn amdano. Wedi i Glyn Pugh adael ei swyddfa, wythnos ynghynt, roedd Grey wedi gwneud ymholiadau i weld a oedd gan Bryn ganiatâd cynllunio i fyw ar ei dir.

Roedd yn amlwg bod swyddogion yr adran wedi gwneud eu gwaith yn drylwyr. Plygodd a chodi ffurflen a'i throsglwyddo o dan y cownter i Bryn.

– Os gwnewch chi lenwi'r ffurflen a'i hanfon yn ôl i'r Gorfforaeth cyn gynted â phosib fe fydden ni'n ddiolchgar iawn, dwedodd Grey cyn sibrwd wrth Phil. – Ymddiheurwch wrtho wnewch chi, Phillip, ac yna dewch yn syth i'm swyddfa i, os gwelwch yn dda.

– Mae'n flin gen i am fy ymddygiad, dwedodd Phil yn ddistaw wrth Bryn.

– Sori. Ond rwy'n methu'ch clywed chi, atebodd Bryn.

Cododd Phil ei lais gan ymddiheuro unwaith eto.

– Na. Mae'r gwydr 'ma'n drwchus iawn. Dw i'n dal yn methu'ch clywed chi.

– Dw i'n blydi sori, reit, gwaeddodd Phil.

– Dydd da. Ta ta, dwedodd Bryn gan droi ar ei sodlau a gadael y swyddfa.

– Dydd da. Ta ta, dwedodd Iwan.

– Am y tro, sibrydodd Phil yn chwyrn.

2

Roedd Dafydd wedi clywed Bryn yn cynnig lifft adref i Sioned, a phenderfynodd geisio cyfarfod â hi unwaith eto.

Roedd siop bapurau dyddiol gyferbyn â Swyddfa'r Gorfforaeth, a bu Dafydd yn sefyllian yn y siop am bum munud cyn i'r Citroën 2CV coch ddod i'r golwg a stopio y tu allan i'r swyddfa. Gwelodd Bryn yn brasgamu i mewn i'r adeilad. Gadawodd Dafydd y siop a chroesi'r heol gan esgus nad oedd wedi gweld y car.

Y tro cynta iddo basio'r car roedd Sioned wedi gostwng ei phen i edrych ar gasgliad Bryn o CDau. Felly trodd Dafydd ar ei sodlau a cherdded heibio i'r car unwaith yn rhagor, gan ddechrau croesi'r heol yn syth o flaen y Citroën. Edrychodd i'r dde ac i'r chwith gan esgus mai hwn oedd y tro cynta iddo weld Sioned yn y car. Ond roedd ei ymdrech yn ofer, oherwydd roedd Sioned yn brysur yn datgysylltu'i gwregys diogelwch.

Gwgodd Dafydd. Croesodd yr heol ac aeth yn ôl i mewn i'r siop. Safodd wrth ffenestr flaen y siop yn gwylio Sioned yn y car. Teimlodd law ar ei ysgwydd. Roedd dyn y siop wedi bod yn ei wylio ers deng munud.

– *Big Uns* neu *Asian Babes*? gofynnodd y dyn.

– Sori? gofynnodd Dafydd yn ddryslyd.

– *Razzle*? Neu efalle *Parade*? Pa un y'ch chi'n moyn?

Edrychodd Dafydd yn syn ar y dyn.

– Ry'ch chi wedi bod yn cerdded i mewn a mas o'r siop 'ma ers deng munud. Dw i wedi bod yn siopwr ers deng mlynedd ar hugain ac wedi gweld cannoedd o fois fel chi sy'n methu gofyn am ychydig o bornograffi, ychwanegodd.

– Sa i'n moyn porn, atebodd Dafydd yn chwyrn.

– Beth y'ch chi'n moyn te? gofynnodd y moelyn.

– Menyw, atebodd Dafydd heb feddwl gan edrych drwy'r ffenestr unwaith eto.

– Dyna beth ry'n ni i gyd yn moyn, Pal, ond rwy'n credu y byddech chi'n saffach gydag ychydig bach o bornograffi, oedd cyngor y dyn.

Yna cerddodd bachgen ifanc i mewn i'r siop.

– Yr iwsiwal, *Big Uns* plîs, Geoff, dwedodd a phlygodd y siopwr o dan y cownter i chwilio am y misolyn. Cododd gyda rhifyn o *Big Uns* yn ei law.

– 'Co ti, Graham. Two ninety-five plîs, dwedodd y siopwr. Diolchodd y bachgen iddo a mynd allan o'r siop.

Edrychodd Dafydd yn graff ar y bachgen yn gadael y siop cyn troi at y siopwr.

– Y'ch chi'n sylweddoli'ch bod chi'n torri'r gyfraith? gofynnodd Dafydd.

– Pwy, fi? Pam?

– Dim ond 13 neu 14 oed oedd hwnna, dwedodd Dafydd.

– Fe? Na. Efallai mai joci yw e, neu efalle ei fod e wedi smocio gormod pan oedd e'n iau, dwedodd y siopwr gan glosio at Dafydd. – Synnech chi faint o dacle sy'n gwerthu sigaréts i blant. Gwarthus, dwedodd.

Ond doedd Dafydd ddim yn gwrando ar y siopwr oherwydd roedd Sioned bellach wedi stopio edrych ar y CDau a chwarae gyda'i gwregys diogelwch. Roedd hi'n eistedd yn y car ac yn edrych yn syth o'i blaen. Bachodd Dafydd ar ei gyfle. Gadawodd y siop a dechreuodd groesi'r stryd.

Yn anffodus, welodd Dafydd mo'r car yn symud yn gyflym tuag ato tan yr eiliad olaf a thaflodd ei hun allan o ffordd y car a glanio ar fonet y Citroën. Agorodd ei lygaid i weld Sioned yn chwerthin arno.

– Y'ch chi'n iawn? gofynnodd Sioned. Daeth allan o'r car a thywys Dafydd i sedd y gyrrwr.

– Ydw. Dw i'n credu, dwedodd Dafydd oedd wedi cael tipyn o siglad.

– Gwnewch fel hyn, awgrymodd Sioned gan anadlu'n ddwfn. Daeth Dafydd ato'i hun wrth iddo syllu ar fronnau Sioned yn codi ac yn gostwng.

– Dw i'n gredwr cryf yn y Dechneg Alexander. Dw i'n siŵr eich bod chi wedi sylwi ar fy osgo, ychwanegodd.

– O ydw. Yn bendant, atebodd Dafydd a ddaliai i edrych ar fronnau Sioned yn codi ac yn gostwng.

– Yr unig broblem yw nad yw'r dechneg wedi gwella fy llais canu, atebodd hithau.

– Ymarfer yw e i gyd, cydymdeimlodd Dafydd.

– Dw i'n gwneud Tai Chi hefyd. Mae'n rhaid i chi fynd yn ddwfn, ddwfn i mewn i chi'ch hunan, meddai Sioned.

– Nawr, cusana hi, cusana hi nawr, meddai llais ym mhen Dafydd.

Sylwodd Sioned fod Dafydd wedi agosáu ati. Yr eiliad nesaf roedd e'n gorwedd ar ei gefn ac yn edrych ar do'r car.

– O, sori. Gafaelais yn y botwm sy'n rhyddhau'r sedd. Dw i braidd yn lletchwith, on'd ydw i? dwedodd Sioned gan godi'r sedd yn ôl i'r man priodol.

Yna gwelodd y ddau fod John yn dod allan o Swyddfa'r Gorfforaeth.

– Mae e'n ddyn od. Stiff iawn. Fe alle fe neud y tro â dwy neu dair sesiwn o Tai Chi, awgrymodd Sioned.

– Efalle y gwna i awgrymu'r syniad iddo fe nawr, dwedodd Dafydd wrth weld ei gyfle i adael y car. Roedd e'n sylweddoli ei fod wedi gwneud ffŵl ohono'i hun.

Cyn i Sioned gael cyfle i ddweud gair arall, roedd Dafydd wedi neidio allan o'r car, ffarwelio â hi a cherdded i ffwrdd. Od ei fod e'n dweud ei fod eisiau siarad â John ac yna cerdded i'r cyfeiriad arall, meddyliodd Sioned gan wenu.

Rhoddodd CD i mewn i'r peiriant ac arhosodd am Bryn. Pan ddechreuodd y gerddoriaeth – 'Lick my Decals Off Baby' – gan Captain Beefheart crychodd Sioned ei hwyneb ac agor y ffenestr i adael y drewdod clywedol allan o'r car.

3

Roedd Harri ac Elin Burton yn sefyll ysgwydd wrth ysgwydd wrth iddyn nhw edrych ar ddarn o dir ar waelod yr ardd.

– Fanna dw i'n moyn y pwll. Dw i wedi bod yn poeni'r gŵr ers misoedd. Ond mae e'n anobeithiol gyda'i ddwylo, dwedodd

Elin yn awgrymog.

– Ie, draw fanco. Dw i'n gallu'i weld e nawr, meddai Harri oedd heb wrando ar air ddwedodd Elin. Eisoes roedd e'n dechrau cynllunio'r pwll yn ei ben. Sylwodd fod twll chwe modfedd o ddyfnder wedi'i balu yno. Edrychodd Harri ar Elin am esboniad.

– Chi'n gweld. Dim ond twll bach sy 'na. Dw i'n siŵr y gallwch chi fynd yn llawer dyfnach na'r gŵr, dwedodd hi gan wenu'n slei wrth iddi sylwi nad oedd Harri'n gwisgo modrwy ar ei law chwith.

Ond doedd Harri ddim yn canolbwyntio. Roedd ei holl ymennydd ynghlwm â'r gwaith o'i flaen. Roedd Harri ar ben ei ddigon. Roedd e newydd gael ei dalu am adeiladu'r patio i gymdogion Elin a John Burton. Byddai hynny'n ei alluogi i dalu rhent ei fflat am rai misoedd. Er hynny, ni allai fforddio prynu'r defnyddiau ar gyfer adeiladu'r pwll.

– Gadewch bopeth i fi. Alla i ddechre bore... na... pnawn fory, dwedodd e gan gofio y byddai'n rhaid iddo fynychu'r Ganolfan yn ystod y bore. – Alla i ofyn ffafr? ychwanegodd.

– Unrhyw beth, atebodd Elin gan hanner agor ei gwefusau.

– Fydde hi'n bosib i chi brynu rhai o'r defnyddie? Mae 'da fi damed bach o broblem cashflow ar y foment.

– Peidiwch â phoeni. Gwnewch restr o bopeth ry'ch chi 'i angen. Cwrdda i â'r gŵr prynhawn 'ma ar ôl iddo fe orffen 'i waith. Wedyn awn ni draw i B & Q i brynu beth sydd 'i angen.

Cerddodd y ddau at fan Harri. Agorodd Harri'r drws i chwilio am bapur a phensel i ysgrifennu rhestr o'r defnyddiau angenrheidiol. Sylwodd Elin fod bag dillad o siop Andre ar y sedd flaen.

– Ry'ch chi'n gwybod sut i blesio'ch cariad. Dillad o siop Andre. Chwaethus iawn!

– Beth? meddai Harri cyn sylweddoli ei bod yn cyfeirio at y

bag gyda'r enw Andre arno. – Na, camgymeriad oedd hwnna, dwedodd.

– Y berthynas neu'r dilledyn? gofynnodd Elin.

– Mae croeso i chi 'i gael e. Dyw e ddim o unrhyw ddefnydd i fi, dwedodd e gan ddechrau ysgrifennu.

– Dw i'n falch o glywed hynny, dwedodd hithe gan dynnu'r sgert fini o'r bag.

4

Cnociodd Phillip Hassock deirgwaith ar ddrws Malcolm Grey. Tawelwch. Yna clywodd Grey yn ei alw i mewn i'w swyddfa.

– Eisteddwch, Phillip, dwedodd Grey.

Wrth iddo eistedd yn y gadair ledr gyfforddus, disgwyliai Phillip i Grey ymosod yn ffyrnig arno am ei ymddygiad tuag at Bryn Yale.

– Paned, Phillip? gofynnodd Grey gan wthio cwpan a soser i'w gyfeiriad.

– Diolch yn fawr, meddai Phil gan ddisgwyl am y mellt a'r taranau.

Cododd Grey a cherdded o gwmpas yr ystafell.

– Dw i wedi derbyn cwynion am y ffordd rwyt ti'n trin y cyhoedd, Phillip. Dw i wedi derbyn llawer o gwynion, a dweud y gwir, dwedodd Grey gan blygu dros ei ddesg, codi llwyth o lythyron a'u gollwng ar y ddesg o flaen Phil. – Saith deg tri o lythyrau yn ystod y mis diwetha, Phillip. Bydde rhai pobl yn dweud dy fod ti'n fwli. Rwyt ti'n trin y cyhoedd fel lwmpyn anhygoel o fawr o gachu. Does dim lle i bobl fel ti yn yr adran yma, Phillip, dim lle o gwbl.

Gwelodd Phil ei ddyfodol disglair yn diflannu. Dechreuodd y dagrau gronni yn ei lygaid. Roedd bywyd mor annheg!

– Does gen ti ddim tosturi na chydymdeimlad tuag at ein

cwsmeriaid. Yn fyr, Phillip, rwyt ti'n shit bach sbeitlyd, dwedodd Grey cyn cymryd dracht o de. – Llongyfarchiade, Phillip, ychwanegodd eiliadau'n ddiweddarach.

Cododd Phil ei ben i weld Grey yn gwenu arno.

– Mae'n bryd i ti gael dyrchafiad i swydd ymchwilio, lle bydd modd i ti wneud gwell defnydd o'th dalente. Croeso, Phillip. Rwyt ti wedi cyrraedd. Phillip, you have arrived.–

Ceisiodd Phillip ddweud rhywbeth, ond methodd. Roedd y dagrau'n llifo i lawr ei fochau yn awr. Dagrau o orfoledd.

Rhoddodd Grey ei law ar ysgwydd chwith Phillip.

– Dyma dy gyfle euraid di. Paid â'm siomi.

– Wna i ddim, syr, atebodd.

– Gwell i ti ddechre nawr. Y dyn Yale yna. Dw i eisie gwybod mwy amdano fe.

Aeth Phillip allan o swyddfa Grey a'i lygaid yn fflachio. Yn ôl yr Eidalwyr, yn oer mae dialedd yn blasu orau. Gwelai Phil blatiaid o salad a mayonnaise o'i flaen, gyda phen Bryn Yale yn y canol. Blasus iawn, meddyliodd Phillip Hassock, BA.

5

Ar ôl i John adael Swyddfa'r Gorfforaeth, cerddodd yn syth at guddfan lle bu'n treulio'r rhan helaeth o'i amser yn ystod y dydd ers iddo golli ei waith, sef amgueddfa'r dre.

– Damo'r Bryn 'na am gyrraedd swyddfa'r Gorfforaeth pan wnaeth e, meddyliodd John wrth iddo gerdded at yr amgueddfa. Roedd John wedi talu'r dreth rhag iddo ymddangos yn wantan ym mhresenoldeb Bryn.

Gwyddai John nad oedd digon o arian yn ei gyfrif banc. Byddai'n rhaid iddo fynd i weld ei reolwr banc unwaith eto i geisio codi lefel y gorddrafft.

Pan gyrhaeddodd ei guddfan, gwelodd neges ar y drws yn

dweud bod yr amgueddfa ar gau am bythefnos oherwydd gwaith adnewyddu. Cau'r amgueddfa i'w moderneiddio! Dyna beth oedd gwrth-ddweud, meddyliodd, wrth iddo stompio i ffwrdd. Roedd wedi cerdded rhai camau wrth geisio meddwl am le arall i guddio pan welodd rhywun yn chwifio'i freichiau i geisio dal ei sylw.

– O na. Y blydi bardd 'na, dwedodd yn isel wrtho'i hun pan welodd Dafydd.

– Alla i gael gair gyda chi? Dw i'n gallu gweld eich bod chi'n drallodus iawn, dwedodd Dafydd cyn i John gael cyfle i ddweud gair.

– Bydden i'n hoffi siarad â chi, ond rwy'n brysur iawn. Mae gen i lot i'w wneud y prynhawn 'ma, atebodd John yn swta.

Wrth i John siarad, gallai weld – dros ysgwydd y bardd – ei wraig Elin yn cerdded tuag ato. Edrychodd ar ei wats. Hanner awr wedi tri. Sut y gallai gyfiawnhau bod yno'n cerdded ar hyd strydoedd y dre yr amser hyn o'r dydd, yn hytrach na bod wrth ei waith?

Edrychodd i'r chwith a gweld stryd fechan. Mewn chwinciad, tynnodd Dafydd i mewn i'r stryd gydag e. Gwthiodd John y bardd yn dynn yn erbyn y wal gan roi ei law dros ei geg.

Edrychodd yn ôl i gyfeiriad y stryd. Ymhen rhai eiliadau cerddodd Elin heibio gyda'i thrwyn yn yr awyr heb weld ei gŵr. Sylwodd John fod y stryd gyferbyn â'r Ganolfan a siop Andre. Yn ffenestr y siop safai Andre a'i gynorthwy-ydd, Denise. Roedd y ddau wedi bod yn eu gwylio'n gegagored.

– Does dim cywilydd gyda rhai pobl, meddai Denise.

– Chi'n iawn, Denise. Yng ngolau dydd a chwbl. Fel anifeilied, meddai Andre.

– Siaced neis gyda'r boi hyn cofiwch, awgrymodd Denise.

– Mmm, cytunodd Andre. – Nice cut.

Edrychodd John i'r cyfeiriad arall ac yn araf tynnodd ei law oddi ar geg Dafydd.

– Mae'n flin 'da fi, Dafydd. Sai'n gwybod beth ddaeth drosto fi, dwedodd. – Gadewch i fi drio esbonio, ychwanegodd, gan geisio meddwl am esgus dros ei ymddygiad.

Torrodd Dafydd ar ei draws. – Peidiwch. Dw i'n deall popeth.

– Ydych chi?

– Ydw. Dw i'n fardd. Ond os gwnewch chi gyffwrdd ynddo i 'to fe gewch chi gosfa. Deall?

– Ydw… Nadw… Ry'ch chi wedi camddeall, dwedodd John gan ddechrau llefain. Roedd popeth yn dechrau mynd yn drech nag e.

Meddalodd Dafydd, gan roi ei fraich yn anghyffyrddus ar ysgwydd John.

– Peidiwch â llefen. Edrychwch, mae eich cyfrinach chi'n saff gyda fi. Wna i ddim dweud wrth neb. Tai Chi sydd ei angen arnoch chi.

– Beth? gofynnodd John drwy ei ddagrau.

– Tai Chi. Mae Sioned yn arbenigwraig. Fe ofynna i iddi ddangos i chi yn y Ganolfan bore fory, dwedodd Dafydd cyn troi a cherdded i ffwrdd.

– Wel dyna siom, dwedodd Denise wrth iddi weld Dafydd yn gadael.

– Ie, ro'n i'n gobeithio gweld mwy 'fyd, cytunodd Andre.

– O, mae gyda fe drowsus neis 'fyd! ebychodd Andre wrth weld John yn cerdded i'r cyfeiriad arall.

– Mmmm… Nice arse, ychwanegodd Denise.

Treuliodd John weddill y prynhawn yn cerdded ar y traeth, ar hyd olion y castell, drwy'r parc ac ar hyd y promenâd yn chwilio am guddfan barhaol newydd tra bod yr amgueddfa ar gau. Yr arcêd! Cyn gynted ag y cerddodd i mewn fe'i swynwyd yn llwyr gan y goleuadau llachar, y carpedi moethus a sŵn y peiriannau.

Cerddodd heibio'r peiriannau ffrwythau, y peiriannau rasio ceir a'r gêmau saethu, gan wylio'r ychydig bobl oedd yno. Roedden nhw hefyd, mwy na thebyg, wedi eu swyno gan y posibilrwydd o anghofio am eu problemau am ychydig oriau.

Er hynny, prif apêl yr arcêd i John oedd y tebygolrwydd na fyddai neb roedd e'n ei adnabod yn debygol o ddod ar gyfyl y lle. Hen fenywod a phlant ysgol yn mwynhau gwyliau'r haf oedd prif gwsmeriaid yr arcêd y prynhawn hwnnw o Awst.

Cerddodd John at y peiriant cwympo ceiniogau, gan chwilio am arian mân yn ei boced. Dechreuodd fwydo'r peiriant â darnau dwy geiniog.

– Dwy geiniog yn llai i Elin eu gwario. Www, a dwy arall, a dwy arall. John drwg, John gwastraffus, meddai'n ddistaw.

Ni welodd ddyn yn gwisgo cap â bobl a chrys-T Mickey Mouse yn eistedd yn anghyffyrddus mewn fan Postman Pat rhyw ddeg llath y tu ôl iddo. Ni sylwodd Baloo ychwaith fod John yn sefyll o'i flaen. Roedd Baloo wedi ymgolli'n llwyr mewn byd hud a lledrith wrth i'r fan siglo o'r naill ochr i'r llall i gyfeiliant cerddoriaeth y rhaglen deledu.

Yn sefyll y pen arall i'r arcêd roedd Graham, mab Joyce James, yn gwastraffu'r prynhawn gyda'i ffrindiau. Gwelodd ei fam yn cerdded trwy ddrws yr arcêd, a chyn iddo gael cyfle i sgathru fe'i gwelodd a rhuthro tuag ato.

– Oi, Graham, gwaeddodd Joyce wrth iddi agosáu at ei mab. Cydiodd ynddo a dechrau ei dynnu allan o'r arcêd i gyfeiliant lleisiau dirmygus ei ffrindiau.

– Gwranda ar Mami nawr, Graham.

– Amser bath, Graham?

Trodd Joyce ar ei sodlau. – Caewch eich penne, y rhacsod, yn enwedig ti, David Griffiths a ti, Ryan Matthews, neu fe ddweda i wrth 'ych swyddog prawf chi.

Cuddiodd John y tu ôl i'r gêm cwympo ceiniogau pan welodd

Joyce yn straffaglu gyda'i mab.

– Dim honna hefyd, sibrydodd yn dawel. Pam bod yn rhaid i bawb ei boeni drwy'r adeg? Roedd e wedi gweld Bryn a Dafydd eisoes y prynhawn hwnnw, ac yn awr roedd Joyce yn torri ar ei heddwch. O leia doedd Baloo ddim wedi ei ddilyn i'r arcêd, meddyliodd.

Wrth i Joyce a Graham gerdded at fynedfa'r arcêd, dechreuodd John gamu am yn ôl mewn ymgais i symud ymhellach i ffwrdd oddi wrth y ddau.

– 'Na ni. Cer gyda Mami. Gwd boi. Paid â chreu ffwdan. Bant â ti am de, bara a jam a lemon meringue, dwedodd John yn dawel gan gamu'n ôl yn ara deg.

Wrth i Joyce a Graham glosio at y drws, symudodd John yn nes ac yn nes at fan Postman Pat.

– Ow, sori, meddai John wrth iddo fwrw i mewn i'r fan.

– Helô little britches, meddai Baloo.

– Naaaaaaa, sgrechiodd John gan gamu i ffwrdd oddi wrth y fan.

Clywodd Joyce y sŵn a phan welodd hi fod dau gyd-aelod o'r Ganolfan yno penderfynodd fynd i gael gair gyda nhw.

– Neis i weld 'ych bod chi'ch dau'n ffrindie'n barod, dwedodd Joyce gan ddal yn dynn yn ei mab.

Gwenodd John heb yngan gair. Chwifiodd Baloo ei fraich chwith gan ddal i ddefnyddio'r llall i yrru'r fan.

– Y'ch chi'n mwynhau'r Ganolfan, John? gofynnodd Joyce.

Nodiodd John gan syllu'n geg agored ar Baloo.

– Mae Nikkie yn neis iawn, on'd yw hi?

Nodiodd John eto.

– Ers pryd y'ch chi wedi bod yn ddi-waith? Fethais i'r cyflwyniadau bore 'ma am nad yw'r gŵr eisie i fi chwilio am swydd, dwedodd Joyce. Yna sylwodd ar y fodrwy briodas ar law chwith John.

– Dw i'n siŵr bod 'ych cymar chi'n gefnogol iawn, ychwanegodd.

– Beth? gofynnodd John.

– Eich gwraig. Sut mae hi'n dygymod â'r sefyllfa?

Daeth y geiriau allan o geg John heb iddo feddwl. – Mae hi'n dal i feddwl mod i'n gweithio, dwedodd yn uchel wrth i syniad erchyll ei daro. Oedd Elin yn dal yn y dre? Oedd hi'n bwriadu ymweld ag e yn ei swyddfa? Edrychodd ar ei wats. Pum munud ar hugain wedi pump.

– Sori. Mae'n rhaid i fi fynd i gyfarfod â'r wraig, esboniodd John gan redeg allan o'r arcêd.

Edrychodd Joyce ar ei ôl cyn troi at Baloo.

– A sut y'ch chi, Baloo? gofynnodd.

– Supercalifragalisticexpialidocious, atebodd Baloo cyn mynd yn ôl i ganolbwyntio ar yrru'r fan.

Edrychodd Graham ar ei fam.

– Ac rwyt ti'n meddwl mod i'n cadw cwmni gwael, meddai.

Rhedodd John nerth ei draed i gyfeiriad swyddfa Paramount Insurance. Gwibiodd heibio pob math o bobl cyn cyrraedd y stryd lle'r oedd y swyddfa. Wrth gyrraedd cornel y stryd gwelodd ei wraig yn agosáu ar yr ochr arall yn cario tri bag yn llawn o nwyddau.

Wyddai John ddim beth i'w wneud. Yn ffodus, torrodd un o'r bagiau a disgynnodd llwyth o ffrwythau a phacedi Chicken Ping ar hyd y pafin. Wrth i Elin blygu i godi'r nwyddau oddi ar y llawr, cerddodd John yn gyflym at fynedfa'r swyddfa a sefyll ar stepen y drws, gan obeithio na fyddai neb yn dod allan a'i weld. Gwaeddodd enw ei wraig, camu oddi ar stepen y drws a cherdded yn hamddenol tuag ati.

– Helô cariad. Gad i fi dy helpu gyda'r bagie 'na, dwedodd gan afael ym mraich ei wraig a'i harwain i ffwrdd o'r swyddfa.

– Ble mae'r car? gofynnodd Elin.

– Yn y maes parcio.

– Pam 'nest ti 'i adael e fanna? Mae e tua hanner milltir o waith cerdded.

– Cefnogi'r system Park and Ride. Pam rwyt ti'n cerdded mor glou? gofynnodd.

– Achos rwy eisie cyrraedd B&Q cyn iddo gau am chwech.

– B&Q? Pam?

– Achos mod i wedi cyflogi rhywun i adeiladu pwll yn yr ardd, ac rwy eisie'r car i gario'r defnyddie adre.

Suddodd calon John. Rhagor o ddyledion.

– O, ro'n i'n meddwl dy fod ti wedi dod i gwrdd â fi o'r gwaith.

– Pam yn y byd fydden i eisie gwneud 'ny? Dw i'n gweld digon ohonot ti'n ystod y nos. Iesu, mae'r car 'ma'n bell. Dyma'r tro ola i mi wneud hyn, dwedodd gan ffit-ffatian yn ei blaen ar ei sodlau uchel.

– Dw i'n dy garu di 'fyd, cariad, dwedodd John yn dawel gan wenu. O leia doedd dim rhaid iddo boeni y byddai ei wraig yn galw yn y swyddfa eto, meddyliodd, cyn dechrau pryderu faint o arian fyddai'n cael ei wario yn B&Q.

6

Tra oedd John yn cyfarfod â'i anwylyd, roedd Joyce yn dechrau colli'i limpyn gyda'i mab.

– Sawl gwaith sy raid i fi weud wrthot ti am gadw draw o'r Arcêd 'na? Ddweda i ddim wrth dy dad y tro 'ma, ond…

Torrodd Graham ar ei thraws. – … A beth fydde fe'n neud? Rhoi fi mewn cadair drydan?

Penderfynodd Joyce nad oedd trin ei mab yn garedig yn gweithio, felly trodd yn gas.

– Ddweda i beth alle fe neud. Rhoi wad i ti, y diawl bach

digywilydd, meddai gan roi siglad iddo. Ond roedd Graham yn fab i'w fam.

– Os gwnaiff e 'ny fe a' i â'r ddau ohonoch chi i'r Llys Iawnderau Dynol yn yr Hâg.

– 'Na ni. Dw i'n benderfynol o gael jobyn nawr. Dw i wedi ca'l llond bol ar redeg rownd ar ôl pawb.

– Fe fydda i'n blentyn heb ofal wedyn. Fe alla i gael ysgariad oddi wrthot ti a Dad. Ta beth, sai'n credu bydde Dad yn hapus iawn i glywed am y weirdos o'r Ganolfan rwyt ti'n ffrindie 'da nhw, ychwanegodd. Roedd wedi dod o hyd i fan gwan Joyce.

– Paid ti â meiddio dweud gair.

Ymateb Graham oedd chwarae gitâr yn yr awyr. Bu'n poeni ei rieni i brynu gitâr iddo ers achau, heb unrhyw lwc.

– Gawn ni weld. Efalle gwnaiff gitâr dy gadw di'n dawel dros yr haf. Ta beth, dw i ddim yn ffrindie 'da nhw, atebodd Joyce yn amddiffynnol.

– Rwyt ti'n cyfadde eu bod nhw'n weirdos, 'te. Beth fydde Dad yn weud?

– Feddylia i am y peth. Ta beth, dim fel 'na rwyt ti'n chwarae A fflat.

O'i blaen gwelodd Dafydd ar ei ffordd i brynu diod.

– Ahoy, Joyce! Shwmai, bloeddiodd.

Roedd e braidd yn feddw ac yn sigledig ar ei draed. Roedd wedi treulio'r prynhawn yn eistedd yn ei bedsit yn synfyfyrio am ddigwyddiadau'r dydd, ac roedd mewn penbleth. Roedd dau beth wedi'i ypsetio, ac o'r herwydd roedd wedi yfed pedwar can o Carling Special Brew ddwywaith yn gyflymach nag arfer i geisio anghofio'r digwyddiadau erchyll.

Poenai iddo wneud ffŵl ohono'i hun o flaen Sioned, ac wrth iddo boeni nad oedd yn ddeniadol i fenywod meddyliodd am John yn ei gofleidio. Trodd y ddau ddigwyddiad yn ei ben am rai oriau nes iddo orffen ei ddiodydd a phenderfynu mynd i brynu potel o win.

– O. Helô, Dafydd, atebodd Joyce gan edrych ar Graham i weld sut byddai'n ymateb o weld meddwyn yn ymddwyn mor gyfeillgar tuag ati. – Parti heno? gofynnodd.

– Na, sai'n credu 'ny. Sai'n gweld llawer o bobl y dyddie 'ma. Maen nhw i gyd wedi symud i Gaerdydd.

– Dw i'n siŵr y gwnewch chi ffrindie newydd yn y Ganolfan. Dw i wedi gweld John a Baloo yn barod prynhawn 'ma.

– John? gwgodd Dafydd. – Sut roeddech chi'n 'i weld e?

– Wel a dweud y gwir, Dafydd, roedd e ar bige'r drain. Ond o leia rwy'n gwybod beth yw'r rheswm, esboniodd Joyce.

– Y'ch chi'n gwybod am 'i gyfrinach e?

– Ddwedodd e wrthoch chi hefyd? Y'ch chi'n meddwl y dylwn i ddweud wrth Nikkie? Efalle y galle hi gael gair gydag e. Sai'n moyn rhoi mhig i mewn i'w fusnes e, ond rwy'n ofni ei fod e bron â thorri.

– Dyw dyn ddim yn gallu ymladd yn erbyn 'i natur. Wilde, Auden, Lorca ac yn y blaen.

– Ond ry'ch chi yn yr un sefyllfa, dwedodd Joyce, wedi'i drysu'n llwyr gan ateb Dafydd.

– Na dw i ddim, Madam, meddai'n chwyrn, cyn ychwanegu – 'Sen i'n chi byddwn i'n cadw llygad ar 'ych teulu'ch hunan cyn hwpo'ch pig i mewn i fusnes pobol eraill, meddai gan edrych ar Graham, oedd wedi prynu *Big Uns* tra bu Dafydd yn y siop yn gynharach y prynhawn hwnnw. Gyda hynny, trodd Dafydd ar ei sodlau a cherdded i ffwrdd.

Edrychodd Joyce yn syn ar ei mab.

– Graham. Oeddet ti'n gwybod bod Oscar Wilde heb ddweud wrth ei wraig ei fod e'n ddi-waith?

Edrychodd Graham yn syn ar ei fam a chwarae ei gitâr awyr unwaith yn rhagor.

7

Wrth yrru'r Citroën i gyfeiriad Penrhyn-coch, soniai Bryn am ei hoff bwnc heblaw am griced, sef ef ei hunan.

– Ac felly fe ges i swydd gyda'r *Daily Mirror* yn 1972. Bod yn y lle iawn ar yr amser iawn. Weithies i gyda'r gore. Pilger, Waterhouse, Joe Haines. Y saithdege. Dyddie bendigedig.

– Beth oedd eich swydd gyda'r *Mirror*, Bryn? gofynnodd Sioned yn llawn edmygedd.

– Ysgrifennu colofn ddyddiol o'r enw *Family Fun*. Colofn i blant. Fi oedd Cassandra yr 'under fives', meddai Bryn yn llawn balchder. – Ges i fywyd gwych nes i Maxwell wneud yn siŵr mod i'n colli fy swydd ac yna fy mhensiwn.

– Ai dyna'r rheswm pam ddaethoch chi'n ôl i Gymru?

– Na. Colles i weddill yr arian ar ôl yr ysgariad diwetha bum mlynedd yn ôl. Ond gadawodd Modryb Martha ychydig o dir i fi yn ei hewyllys, meddai wrth i'r car droi'r cornel ar ddwy olwyn. Yna gwasgodd yn galed ar y brêcs. Stopiodd y car o fewn modfeddi i hanner cant o fuchod a safai ar ganol yr heol.

– Arse, meddai Bryn gan weindio'i ffenestr i lawr. Closiodd dyn byr yn gwisgo cap brethyn at y car.

– Beth uffarn y'ch chi'n meddwl y'ch chi'n neud, y ffŵl? gwaeddodd y dyn yn chwyrn cyn iddo sylweddoli ei fod e'n nabod y gyrrwr.

– O, ti, Yale yw e. Dylen i fod wedi sylweddoli mai ti oedd yn gyrru fel bwbach, dwedodd Glyn Pugh.

– Ca dy geg, Pugh, a symuda'r anifeilied 'ma bant o'r hewl.

– Popeth mewn da bryd, dwedodd Pugh gan wenu'n gam a thynnu blwch tybaco o boced ei got. – Dwyt ti ddim yn y ddinas nawr, Yale. Mae pethe'n symud tipyn bach yn arafach yn y wlad, was, ychwanegodd gan ddechrau rholio sigarét yn araf.

– Sa i'n was i ti, Pugh, nac i neb arall chwaith.

– Sori. Ceiliog 'te, meddai Pugh cyn dechrau llyfu'r papur sigarét.

– Nac yn geiliog chwaith.

– Y broga. Y lladwrn. Galwa i ti'n beth dw i'n moyn, Yale, meddai Glyn Pugh wrth gynnau'r sigarét.

– Caria di mla'n. Ond wna i ddim gwerthu Cae Martha i ti. Hwnna yw f'etifeddiaeth ac rwy'n bwriadu aros yno.

Closiodd Glyn Pugh at y car. – Fues i'n defnyddio'r tir 'na am dros ugain mlynedd, dwedodd gan chwythu mwg ei sigarét i mewn drwy ffenestr y car. – Dwedodd dy fodryb wrtho i y byddwn i'n dal yn gallu defnyddio'r tair erw 'na ar ôl ei dyddiau hi.

– Bullshit! A dwedodd ei chyfreithiwr y gallwn i neud fel rwy i am 'da Cae Martha, atebodd Bryn.

– Dere mla'n Yale. Dyw'r tir 'na ddim o unrhyw werth i ti. Dw i wedi cynnig pris teg… ac yn fodlon cynnig pum mil arall, dwedodd Pugh gan wincio arno.

– Na, dydd da Pugh, dwedodd Bryn gan gau'r ffenestr mor gyflym nes i'r sigarét oedd yng ngheg Pugh gael ei dal ynddi.

Rhegodd hwnnw dan ei wynt a cherddded yn ôl at ei fuchod.

Wedi i'r lôn glirio gyrrodd Bryn yn ei flaen ac ymhen pum munud roedd y 2CV wedi cyrraedd tŷ Sioned.

– Y'ch chi moyn lifft i'r Ganolfan fory? gofynnodd Bryn wrth iddi gamu allan o'r car.

– Na. Mae'n iawn, diolch. Bydd Dadi'n mynd i'r dre bore fory.

Ffarweliodd y ddau a gyrrodd Bryn tua thre.

Roedd rhieni Sioned, sef Irene ac Iwan Prytherch, yn sbecian drwy'r llenni.

– Shwt un oedd e i edrych arno fe? gofynnodd Iwan, oedd heb ei sbectol ar y pryd.

– Braidd yn hen, meddai Irene.

– Helô. Dw i adre, gwaeddodd Sioned wrth iddi gerdded trwy'r drws ffrynt a chofleidio'i mam a'i thad fel pe bai hi wedi dod oddi ar y llwyfan ar ôl perfformiad tair awr o *42ⁿᵈ Street*.

Cyrhaeddodd Bryn adref bum munud yn ddiweddarach. Parciodd y Citroën yn y man arferol y tu allan i'r cae a alwai'n gartref. Camodd allan o'r car ac edrych o gwmpas y cae. Yn y gornel roedd y teclyn bowlio wedi'i amgylchynu gan goed derw. I'r chwith roedd ei garafán, ac wrth ochr honno roedd fan camper.

Edrychodd Bryn unwaith eto. Oedd, roedd fan camper yn y cae ac roedd ci, dyn a menyw yn sefyll y tu allan iddi. Gwisgai'r dyn got oedd, yn ôl ei golwg, wedi dechrau ei hoes ar gefn milwr o'r Almaen yn Stalingrad yn 1942.

– Helô, meddai Bryn wrtho'i hun.

SIONED

1

Roedd tad Sioned, sef Iwan Prytherch, wedi ymddeol o'i swydd fel darlithydd Mathemateg y Mhrifysgol Aberystwyth ers blwyddyn, gan rag-weld dyfodol pleserus iddo ef a'i wraig.

Roedd ganddyn nhw ddigon o arian i wireddu eu breuddwyd o deithio'n eang ar draws y byd. Yn wir, wythnos ar ôl iddo ymddeol, aethant ar eu gwyliau i wlad Groeg. Syrthiodd y ddau mewn cariad â'r wlad a phenderfynu y bydden nhw'n dechrau edrych ar y posibiliadau o symud i fyw yno.

Gwelent gyfle i ddechrau bywyd newydd yn yr haul, ond pan ddychwelon nhw yn ôl i Gymru chwalwyd y freuddwyd wrth i Sioned, eu hunig ferch, ddatgan ei bod wedi penderfynu dychwelyd i fyw atyn nhw.

Roedd Sioned wedi treulio'r tair blynedd flaenorol yn astudio cerdd a drama yng Nghaerdydd, ac roedd ei rhieni'n disgwyl ac yn gobeithio y byddai'n aros yn y brifddinas i ddilyn ei gyrfa fel actores. Ond roedd un broblem. Roedd Sioned yn actores wael. O ganlyniad, methodd â chael unrhyw swydd yn y cyfryngau.

– Gall gartre fod yn ganolfan i fi chwilio am waith, esboniodd Sioned wrth iddi groesawu ei rhieni'n ôl o'u gwyliau. Diflannodd y lliw haul o wynebau'r ddau ymhen munudau.

– Mae fan hyn yn lle delfrydol, ychwanegodd, – hanner ffordd rhwng y gogledd a'r de. Ac yn y cyfamser fe alla i helpu Mami o gwmpas y tŷ, yn enwedig nawr bod ei chefen hi mor wan.

Yn wir, roedd gan Irene broblemau gyda'i chefn, ac roedd wedi derbyn yr un cyngor oddi wrth yr aciwbigydd, yr osteopath a'r meddyg teulu. Byw mewn gwlad lle roedd yr hinsawdd yn fwyn oedd yr unig ateb i leddfu'r boen.

Wrth i'r misoedd fynd heibio, methiant fu pob ymgais gan Sioned i gael clyweliad am ran fel actores, a sylweddolodd Irene ac Iwan ar ôl gorfod bod yn ei chwmni drwy'r gaeaf hir, diflas, ei bod hi'n mynd ar eu nerfau. Erbyn yr haf roedden nhw'n benderfynol o symud i fyw i wlad Groeg heb eu merch.

– Ond beth os na fydd y Ganolfan Rhaglenni'n llwyddo i'w helpu hi i gael swydd? gofynnodd Irene gan edrych ar ei gŵr dros y bwrdd brecwast ar ail fore Sioned yn y Ganolfan.

– Mae'n rhaid i ni fod yn amyneddgar, atebodd Iwan gan afael yn llaw ei wraig. Fe gadwn ni at ein cynlluniau. Awn ni'n ôl i Roeg, chwilio am le i fyw, a dechre trefnu symud.

– Fe gei di yfed gwin yn yr haul drwy'r dydd, ychwanegodd Iwan.

– Ac fe gei dithau ailgydio yn dy sgrifennu, meddai Irene.

– Sai'n credu 'ny, Irene. Sylweddolais fod ysgrifennu'n ddibwys pan gwrddon ni'n dau. Fe fydda i'n yfed gwin yn yr haul 'da ti.

– Ond beth os na fydd hi wedi cael swydd? Beth wedyn? gofynnodd Irene gan dynnu ei llaw yn ôl.

– Plan B. Bydd yn rhaid i ni redeg bant heb ddweud gair wrthi. Hi neu ni, Irene – ac am unwaith yn ein bywyde, ni fydd yn cael y flaenoriaeth.

Ar y gair daeth Sioned i lawr y grisiau a throtian i mewn i'r gegin. Pan edrychai rhywun ar Sioned, gallent gredu eu bod yn gweld blaen ac ochr ei hwyneb ar yr un pryd, yn debyg i lun ciwbaidd Picasso o'r Ferch Gyda Gwallt Du. Roedd un llygad ac un glust ychydig yn fwy na'r llall; roedd ei thrwyn ychydig i'r chwith o ganol ei hwyneb a'i cheg ychydig i'r dde. Heblaw am hynny roedd hi'n ferch ddeniadol iawn.

– Bore da Mami, bore da Dadi, meddai gan gusanu'r ddau ar eu bochau ac eistedd rhwng ei rhieni.

Wrth i Irene dywallt powlenaid o Goco Puffs ar gyfer ei merch, meddyliodd Iwan, – Bydd yn rhaid i ni redeg bant neu wneud yn siŵr bod rhyw ddyn yn ei chymryd hi oddi arnon ni.

Wrth iddo ymosod ar ei Goco Puffs yntau, meddyliodd yn drist, – Ond pwy yn y byd fyddai'n fodlon gwneud hynny?

2

Eisteddai Tony James wrth ford y gegin yn meddwl am benderfyniad ei wraig, Joyce, i ymuno â'r Ganolfan. Gwyddai y dylai fod yn hapus ei bod hi'n ceisio chwilio am swydd llawn amser, yn enwedig am ei fod e'n cael llai o waith yn sgil y Wasgfa Gredyd a'r dirwasgiad a'i dilynodd. Ond bu'r ddau'n anghytuno am y peth y bore hwnnw cyn i Joyce adael am y Ganolfan.

– Na, Tony. Dw i'n benderfynol o fynd eto bore 'ma, meddai Joyce wrth i Tony ei dilyn i mewn i'r gegin.

– Ond pam? Ry'n ni'n hapus fel ry'n ni.

– Tony. Mae mywyd i wedi'i ganolbwyntio'n llwyr ar Graham, Diane a ti ar hyn o bryd. Dw i eisie cwrdd â phobl newydd.

– Os wyt ti'n moyn cwrdd â phobol, pam na wnei di ymuno â'r WI neu Ferched y Wawr?

– Paid â bod yn sofft.

– Beth sy mor sbesial am y Ganolfan, ta beth? Gei di fyth swydd. Ry'n ni yng nghanol dirwasgiad.

– Dwyt ti ddim yn gwrando. Yn gynta, rwy'n bedwar deg a chwech mlwydd oed ac eisie chwilio am waith fel na fydd f'ymennydd i wedi troi'n fenyn erbyn i fi gyrraedd fy hanner cant… ac yn ail…

– Aha… meddai Tony.

– Aha beth?

– Dw i'n deall nawr. Rwyt ti'n diodde o argyfwng canol oed…

– O Tony. Tyfa lan, wnei di?

– Alli di gael tabledi ar 'i gyfer e, ti'n gwybod.

Plethodd Joyce ei breichiau ac edrych ar ei gŵr am rai eiliadau.

– Reit, dwedodd a cherdded at gwpwrdd y gegin, tynnu

tomen o gylchgronau anweddus mas a'u taflu ar y ford.

– Nawr 'te, Tony. Dweda wrtha i pwy sy'n diodde o argyfwng canol oed yn y tŷ 'ma. Mae 'na reswm pam 'u bod nhw'n 'i alw yn Men-opause.

Edrychodd Tony ar y copïau o *Men Only, Knave, Razzle* a *Big Uns*.

– Dwyt ti ddim yn meddwl mod i'n…

– Sai'n moyn esboniad.

– Ond Joyce… Fydden i byth… rwy'n… rwy'n drydanwr. Ceisiodd Tony esbonio, ond roedd Joyce erbyn hyn ar gefn ei cheffyl.

– Os o's rhaid i ti feddwl am fenywod eraill, rwy'n siŵr y gallet ti gwato'r cylchgrone brwnt 'ma yn rhywle gwell nag yng nghwpwrdd y gegin. Ddweda i beth alli di neud. Cael Lusty Loretta i ddod draw i helpu gyda'r gwaith tŷ, dwedodd Joyce gan dynnu'i ffedog – … achos rwy wedi cael digon, gwaeddodd gan afael yn ei chot a rhuthro allan o'r tŷ.

Ddwy funud yn ddiweddarach cerddodd Graham i mewn i'r gegin yn rhwbio'i lygaid yn gysglyd, a gweld y cylchgronau anweddus ar y bwrdd.

– O shit, dwedodd.

Eisteddodd Tony i lawr wrth y ford ac edrych drwy'r cylchgronau.

– Graham. Os o's rhaid i ti ddarllen y sothach hyn, rwy'n mynnu 'u gweld nhw cyn i ti ddechre'u darllen nhw. Rhag ofn bod rhywbeth anaddas ynddyn nhw, wrth gwrs.

3

– Ydych chi'n siŵr eich bod chi'n fodlon i ni aros 'ma? gofynnodd Mike Edrich, y teithiwr oedd wedi methu cael budd-dâl gan yr awdurdodau'r diwrnod cynt.

Roedd Mike a'i wraig Jean, eu ci, Scabies, a Bryn yn eistedd mewn cylch o gwmpas y tân nwy rhwng y garafán a'r fan camper.

– Dim problem, atebodd Bryn gan godi ar ei eistedd i arllwys dŵr berwedig i mewn i dri chwpan.

Dros baned o goffi esboniodd y ddau wrth Bryn pam eu bod nhw wedi penderfynu teithio o le i le. Roedd Mike a Jean wedi cyfarfod yng Nghaerdydd yng nghanol y nawdegau. Ar y pryd roedd e'n bostman a hithau newydd raddio mewn pensaernïaeth yn y Brifysgol. Syrthiodd y ddau mewn cariad a phenderfynu teithio'r wlad yn hytrach na gweithio mewn swyddi naw tan bump.

– Aeth popeth yn iawn am sbel. Bydden ni'n teithio mewn grwpie bychan, heb achosi trafferth i neb, ond wedyn daeth dynion yn gwisgo siwtie a difetha pob dim, dwedodd Jean.

– Swyddogion y Gorfforaeth? holodd Bryn.

– Nage, gwerthwyr cyffurie, atebodd Mike. – Cyn i ni sylweddoli roedden ni'n teithio o gwmpas yn ein dinas symudol ni ein hunen gydag anarchwyr rhan amser a ravers penwythnos. Ac ar ôl y Ddeddf Cyfiawnder Troseddol doedd dim dewis 'da ni ond gadel y wlad. Fe benderfynon ni fod teithio gyda phobol eraill yn ormod o ffwdan. Felly fe adawon ni Brydain yn 1996, ac ers hynny ry'n ni wedi bod yn teithio ar draws cyfandir Ewrop.

– Ond pam ddaethoch chi'n ôl? gofynnodd Bryn.

– Mae cyfarfod o'r G8 i'w gynnal ym Manceinion ym mis Medi. Ry'n ni wedi dod draw i brotestio yn erbyn effeithie cyfalafiaeth. Roedden ni ar ein ffordd i gyfarfod â hen ffrindie mewn Gŵyl ger Rhaeadr y penwythnos nesa, ond do's dim diesel ar ôl 'da ni.

Gorffennodd Bryn ei goffi mewn un llwnc, codi ar ei eistedd a dweud, – Efalle eich bod chi'n rhydd, ond mae'n rhaid i fi fwydo'r system ddieflig.

Dechreuodd wneud ei hun yn barod i fynd i'r Ganolfan.

– Ond dwedoch chi eich bod chi'n ddi-waith, meddai Jean.

– Ydw. Ond fel mae rhywun rwy'n ei nabod yn hoff o'i ddweud, mae chwilio am waith yn waith ynddo'i hun. Meddyliodd Bryn am eiliad cyn ychwanegu – efalle, Jean, y gallwch chi ddefnyddio'ch donie i'm helpu i gyda jobyn bach wnaiff dalu am ddigon o ddiesel ar gyfer y trip i Raeadr, a digon i chi fynd yn ôl i'r cyfandir 'fyd!

Yna dechreuodd gerdded at y Citroën 2CV.

4

– Cer i grafu, y bastard, gwaeddodd Elin Burton oddi ar stepen drws y tŷ wrth i'w gŵr, John, chwilota'n ffwndrus am allweddi'r car a cheisio datgloi'r drws.

Roedd John wedi gwneud y camgymeriad erchyll o fod yn benderfynol ynglŷn â pheidio adeiladu'r pwll. Dros y coffi a'r cornfflêcs dechreuodd restru llu o resymau pam na fyddai'n syniad da i'w adeiladu – heb sôn gair, wrth gwrs, ei fod yn ddi-waith ers chwe mis. Roedd Elin yn anghytuno. Aeth y drafodaeth yn ddadl, a'r ddadl yn gecru, ac yn awr roedd Elin yn gweiddi arno oddi ar stepen y drws.

– Dw i'n mynd i gael pwll, a dyna'i diwedd hi. Ac mae digon o arian 'da ni i dalu amdano fe, bloeddiodd gan wneud yn siŵr bod eu cymdogion yn clywed pob gair.

Cnôdd John ei wefus a llwyddo o'r diwedd i agor drws y car.

– Cer mla'n. Cer i dy waith i gwato, bloeddiodd Elin wrth i John gamu i mewn i'w gar. O leia byddai'r Ganolfan yn rhyw fath o hafan iddo, meddyliodd wrth yrru i ffwrdd.

5

Cerddodd Joyce James fel Gurkha yr holl ffordd o'i chartref i'r Ganolfan y bore hwnnw. Ar ôl dadlau gyda Tony, roedd yn benderfynol o gael swydd. Penderfynodd hefyd y byddai'n berson mwy awdurdodol o hyn ymlaen. Byddai'n ddechrau da iddi ofyn i Nikkie am ei chyngor ynglŷn â chyfrinach John yn peidio â dweud wrth ei wraig ei fod yn ddi-waith.

Pan gyrhaeddodd y Ganolfan dim ond y rheolwraig, sef Nikkie, a Sioned oedd yno. Gan fod Sioned yn eistedd yn yr ystafell gefn yn yfed paned o goffi, manteisiodd Joyce ar y cyfle i gael gair â Nikkie.

Wrth i'r ddwy drafod sefyllfa druenus John, wnaethon nhw ddim sylwi bod Baloo wedi cerdded i mewn. Safai y tu ôl iddyn nhw gyda'i law chwith yn yr awyr fel petai yn yr ysgol gynradd. Safai yn ei unfan yn gwrando ar Joyce yn esbonio sefyllfa John. O'r diwedd, sylweddolodd Baloo na fyddai'n cael sylw Nikkie a sleifiodd i ffwrdd i ymuno â Sioned.

– Beth sy'n bod, Baloo? gofynnodd Sioned iddo wrth iddi weld ei wyneb yn crychu.

– Mae Joyce yn hel clecs am John, dwedodd.

– Beth mae hi'n 'i ddweud? gofynnodd Sioned gan glosio ato'n glustiau i gyd.

Yr ochr arall i'r ystafell roedd Nikkie a Joyce yn trafod y sefyllfa.

– Mae'n amlwg i fi 'i fod e ar fin torri lawr yn gyfan gwbl, dwedodd Joyce.

– Ga i air gydag e, ond paid â dweud gair wrth y lleill. Galle hynny ddinistrio'i hunan-barch yn llwyr, sibrydodd Nikkie gan gerdded at yr ystafell gotri.

– Druan o John, yn gorfod actio twenty-four-seven ac yn methu dweud wrth ei wraig, dwedodd Sioned wrth y ddwy.

Roedd y gath allan o'r cwd. Penderfynodd Nikkie fod yn awdurdodol.

– Dw i ddim eisie i neb ddweud gair wrth John pan ddaw e. Fe wna i siarad ag e. Dw i am i bawb ymddwyn yn hollol naturiol.

Ar y gair, agorwyd y drws a cherddodd John i mewn gyda gwên lydan ar ei wyneb. Roedd e wedi cyrraedd ei hafan. Diflannodd ei bryderon am ei ddiweithdra, ei ddyledion a'i wraig. Ond ymhen eiliad diflannodd y wên hefyd pan welodd bedwar wyneb yn llawn tosturi yn edrych arno o ben pella'r ystafell. Roedd yn amlwg bod Joyce wedi dweud y cwbl wrthyn nhw a bod pawb yn gwybod am ei sefyllfa. Dechreuodd y dagrau grynhoi.

Ar amrantiad roedd Nikkie wedi camu draw ato a'i gofleidio. Ceisiodd John droi i ffwrdd a thrwy ei ddagrau gwelodd Joyce yn agosáu ato gyda hances boced yn ei llaw. Trodd a gweld Sioned yn estyn paned o de iddo. Roedd wedi ei amgylchynu'n llwyr gan gydymdeimlad.

– Dewch mla'n John, dwedwch y cwbl. Bydd yn help ichi. Ry'n ni i gyd yn ffrindie fan hyn, dwedodd Nikkie.

Edrychodd John ar y pedwar yn glafoerio wrth aros i wrando ar ei stori.

– Dw i'n siŵr fod gan bob un ohonoch chi rywun i ymddiried ynddo os oes problem 'da chi, dwedodd.

– Oes, Cinderella, wrth gwrs, dwedodd Baloo.

– Ro'n i'n meddwl mod i wedi priodi Cinderella, ond nid Cinderella oedd hi, nac un o'r chwiorydd hyll chwaith, ond y blydi llysfam gythreulig, meddai John. – Ond, plîs, peidiwch â dweud wrthi, ychwanegodd trwy ei ddagrau.

– Ond pam y'ch chi'n ofni dweud wrthi? gofynnodd Joyce.

– Dw i'n methu byw hebddi. Dw i'n ofni bywyd ar 'y mhen 'yn hunan – mae'n well gen i fyw bywyd anhapus gydag Elin.

Ond alla i ddim mynd mla'n fel hyn. Sai'n gwybod beth i neud... ochneidiodd John.

– Mae rhaid i chi ddweud wrthi, John, er lles eich iechyd, awgrymodd Joyce.

Eisteddodd John â'i ben yn ei ddwylo am eiliadau hir cyn chwythu'i drwyn yn hances boced Sioned. Cododd ei ben ac edrych ar Nikkie.

– Chi'n iawn... ie... ddweda i'r cyfan wrthi ... diolch... rwy'n teimlo lot yn well yn barod. Sylwodd fod Dafydd wedi ymuno â'r grŵp wrth iddo orffen siarad.

– Dw i'n edmygu dy onestrwydd, dwedodd Dafydd – a dw i'n siŵr y gwnawn ni dy dderbyn di fel y person wyt ti. Mae bod yn hoyw yn hollol dderbyniol y dyddiau 'ma. Ambell waith rwy'n edliw'r ffaith mod i ddim fel yna fy hunan. Ysgrifennes i gerdd amdanat ti neithiwr... 'Mab y Mynydd hoyw loyw, yn ymlwybro yn ei bans'... meddai cyn sylweddoli bod pawb yn edrych arno.

– Beth sy'n bod? gofynnodd Dafydd.

Siglodd y gweddill eu pennau mewn anghrediniaeth.

– Beth...? Beth...?

– Dw i'n credu bod tamed bach o gamddealltwriaeth wedi digwydd rhyngot ti a John, dwedodd Joyce.

6

Cyrhaeddodd Bryn y Ganolfan tra oedd y gweddill yng nghanol sesiwn Tai Chi. Gwyliodd wrth i Sioned esbonio'r symudiadau elfennol oedd yn cynnwys 'edrych yn ôl ar y lleuad', 'troi'r balŵn' a 'dyfodiad y teigr yn ôl i'r mynydd'. Roedd y gweddill yn ceisio efelychu symudiadau Sioned, rhai'n fwy llwyddiannus nag eraill.

Gwrthododd Bryn ymuno â nhw a sleifiodd i'r ystafell goffi.

Sylwodd fod Dafydd yn rhythu ar Sioned wrth 'rannu mwng y gaseg'. Roedd e ar ben ei ddigon oherwydd bod Sioned wedi cytuno i ddod yn ôl i'w fflat i gael benthyg llyfr ar ddiwedd sesiwn y Ganolfan. Roedd Baloo yn gwenu'n siriol wrth wneud 'cam y ceiliog' gan feddwl am fyd pinc, glas a melyn Disney lle mae cyfiawnder yn teyrnasu. Roedd John yn chwifio'i freichiau o gwmpas yn frwdfrydig fel plentyn wrth 'gerdded fel hwyaden'. Yn amlwg, roedd y pwysau fu'n gwasgu arno ers misoedd wedi dechrau codi.

Ar ôl deng munud daeth y sesiwn Tai Chi i ben a dechreuodd Nikkie ar waith y bore, sef Job Leads.

– Mae sawl math o Job Lead. Y llyfr ffôn, hysbysebion, papure lleol, y teledu, radio, eich ffrindie… dwedodd Nikkie

– Yn fy marn i, y ffordd ore yw galwade ffôn naturiol ar hap. Wrth ffonio pobl ry'ch chi'n hysbysebu eich personoliaeth a'ch donie…

Wrth i Nikkie draethu dechreuodd Bryn feddwl am ble a phryd roedd e wedi ei gweld hi o'r blaen. Yn bendant roedd blynyddoedd lawer ers iddo weld ei hwyneb, ond methai'n lân â chofio ym mha gyd-destun roedd e'n ei hadnabod hi.

Yna, wrth i Nikkie droi ei phen i ysgrifennu rhywbeth ar y pad mawr, daeth hanner atgof yn ôl. Llun. Llun o Nikkie yn y *Sunday Mirror* pan oedd e'n gweithio i'r papur yn ystod yr wythdegau. Ond ni allai gofio pam bod ei llun hi yn y papur. Byddai'n rhaid iddo edrych yn y ffeil o hen bapurau oedd ganddo yn ei garafán.

Gorffennodd Nikkie ei haraith gan ddweud, – Ac mae un peth arall gen i i'w ddweud wrthoch chi cyn i ni dorri am goffi. Dw i'n gorfod mynd i gyfarfod ddydd Gwener, felly fydd y Ganolfan ddim ar agor ar y diwrnod hwnnw.

– A beth amdanon ni? Dw i'n edrych ymlaen bob dydd at ddod yma, dwedodd Bryn.

– Dw i'n hapus eich bod chi mor awyddus i chwilio am waith, atebodd Nikkie.

– Na. Sôn am dderbyn fy nhreulie teithio ro'n i, Nikkie, atebodd Bryn gan droi at John.

Ond roedd John yn gwgu wrth sylweddoli y byddai'n rhaid iddo guddio mewn archfarchnad neu londrét drwy'r dydd y diwrnod hwnnw.

Gyda hynny, symudodd pawb at y teclyn MaxPax a cherddodd Nikkie i'w swyddfa. Bachodd Joyce ar y cyfle i gael gair, ac fe'i dilynodd. Roedd ymateb Tony i'w phenderfyniad i chwilio am waith wedi ei chythruddo. Oherwydd bod Nikkie wedi dangos cymaint o gydymdeimlad tuag at sefyllfa John, penderfynodd Joyce sôn wrthi am ei phroblem hithau gyda Tony.

– Dewch mewn, gwaeddodd Nikkie.

Caeodd Joyce y drws yn araf y tu ôl iddi.

– Eisteddwch, ychwanegodd Nikkie gan roi ffeil o'r neilltu.

– Oes rhywbeth o'i le? gofynnodd wrth weld yr olwg bryderus ar wyneb Joyce.

– Sai'n siŵr sut i ddechrau. Y gŵr.

– O!

– Dyw e ddim yn hapus mod i eisie mynd yn ôl i weithio a dw i'n ofni ei fod e'n diodde o argyfwng y canol oed.

Eisteddodd Nikkie yn ôl yn ei sedd. – Beth yw'r symptome? Ydi e'n ymddwyn yn ymosodol? gofynnodd.

– Ydi, mewn ffordd…

– Ydi e'n amddiffynnol wrth drafod ei ymddygiad?

– Ydi.

– A… sut mae gofyn hyn? Ydi e wedi dechrau talu mwy o sylw i fenywod eraill?

– Wel… ym…

– Ydi e'n darllen *Big Uns*, Joyce?

– Ydi.

– Mae'n bendant yn wynebu argyfwng y canol oed, felly, dwedodd Nikkie gan bwyso ymlaen yn fuddugoliaethus yn ei sedd.

– Ond pam y'ch chi mor sicr? gofynnodd Joyce yn bryderus.

– Mae gen i dipyn o brofiad o ddynion... sy'n... sy'n ymddwyn yn anarferol, oedd ateb amwys Nikkie. – Fe adewais i fy ngŵr, ychwanegodd wrth iddi weld dryswch ar wyneb Joyce. – Mae gen i lyfr adref am argyfwng y canol oed. Mae croeso i chi gael ei fenthyg e.

– Diolch.

Edrychodd Nikkie ar ei wats. – Reit. Gwell i ni fynd yn ôl. CVs nesaf. Ond fe ddylen ni siarad mwy am hyn. Beth y'ch chi'n feddwl, Joyce?

– Se fe'n help mawr i fi, Nikkie.

– Beth am fynd am ddiod rhywbryd 'te? awgrymodd Nikkie.

– Dw i ddim yn siŵr...

– Pam lai...does gen i ddim problem cymdeithasu gydag aelodau'r Ganolfan, Joyce. Dw i ddim yn fòs arnoch chi. Rwy'n gweld ein perthynas ni fel un o gydweithio. Os rhywbeth, chi sy'n 'y nghadw fi mewn gwaith... beth am heno, wyth o'r gloch yn yr Angel?

– Iawn... go on 'te, cytunodd Joyce.

Tra oedd Nikkie a Joyce yn sgwrsio, cyrhaeddodd Harri'r Ganolfan wedi bore caled o waith. Roedd ar ben ei ddigon oherwydd bod y pwll roedd e'n ei adeiladu i Elin Burton yn mynd i fod yn gampwaith. Ymunodd â Bryn, Dafydd, Sioned a Baloo, oedd yn yfed eu coffi.

– Newyddion da i ti, Harri. Mae'r Ganolfan ar gau ddydd Gwener. Mae Nikkie yn gorfod mynd ar gwrs hyfforddiant, dwedodd Bryn.

– Braf arni hi, dwedodd Sioned. – Dw i ddim wedi bod allan

o'r dre 'ma ers misoedd.

– Sa i wedi bod allan o'r dre ers blynyddoedd, dwedodd Dafydd.

– Na finne chwaith, meddai Harri.

– Gallen i wneud y tro â mynd i rywle gwahanol. Yn ystod y chwe mis diwetha dw i wedi cerdded pob modfedd o'r dre 'ma, dwedodd John.

Roedd Baloo yn dawel. Cofiai'r tro olaf iddo adael ardal Aberystwyth, y tro hwnnw pan wnaeth e ddwyn bws.

– Pam lai? meddai Bryn yn uchel ar ôl rhai eiliadau.

– Sori? gofynnodd Dafydd.

– Pam lai? Pam na allwn ni drefnu taith i rywle? Os gallith Nikkie gael diwrnod bant, pam na allwn ni?

Cododd Dafydd o'i sedd.

– Rwyt ti'n iawn, Bryn. Mae'r lle 'ma fel carchar. Ry'n ni'n ddi-waith ond yn rhydd i wneud beth fynnon ni, mynd i ble fynnon ni pan fynnon ni. Dylen ni ddefnyddio'n rhyddid, nid cael ein carcharu mewn swyddfa fel hon wrth aros i gael ein symud i garchar arall. Carchar gwaith. Dw i wedi ysgrifennu cerdd… Mae rhywun yn y carch… dwedodd Dafydd cyn i John dorri ar ei draws.

– Ti'n anghofio un peth, meddai John yn dawel.

– Beth?

– Ry'n ni i gyd yn sgint.

– O Ie. Anghofiais i am y broblem 'na, dwedodd Dafydd gan eistedd i lawr unwaith eto.

– Ac ry'n ni yma i chwilio am waith, nid i fwynhau ein hunain, dwedodd Sioned.

– Pa waith? Swyddi'n stacio silffoedd mewn archfarchnadoedd, swyddi'n ateb teleffon o'ch cadair, am orie ar y tro fel 'taech chi'n ffowlyn, yn gaeth i gawell fach ar hyd y flwyddyn… dwedodd Dafydd.

– Gwych iawn, Dafydd. Cerdd hyfryd, meddai Sioned.

– Beth? Na, nid honna oedd y gerdd. Dyma'r gerdd... Colli gwaith a cholli... dechreuodd cyn i Bryn dorri ar ei draws.

– Diolch, Dafydd. Lyfli. Dw i'n awgrymu y dylen ni i gyd fynd i ffwrdd i rywle am y diwrnod. Beth am yr Amwythig? Diwrnod i'r brenin... yn ogystal â'r frenhines, awgrymodd Bryn gan amneidio at swyddfa Nikkie.

– Fel dwedais i, ry'n ni i gyd yn sgint. Allwn ni byth fforddio mynd ar y trên, dwedod John.

– Mae fan 'da fi, ac mae car 'da ti, Bryn. Gallwn ni i gyd dalu am y petrol rhyngddon ni, awgrymod Harri.

Camod Baloo i'r adwy. – Neu fynd ar fws, dwedod gan wenu'n ddireidus. – Dw i'n nabod rhywun sy'n gallu cael gafael ar fws yn rhad ac am ddim i ni. Peidiwch â phoeni. Fe drefna i'r bws.

Edrychod pawb yn syn arno am eiliad.

– Pam lai? awgrymod Harri.

– Gwych, dwedod Sioned.

– Grêt, cytunod Dafydd a John.

– Ond beth fydd gan Nikkie i'w ddweud am y syniad? gofynnod John.

– Rwyt ti'n gadael i fenywod reoli dy fywyd di, John. Dyw e'n ddim byd i neud â hi. Pam ddyle hi wybod popeth? Beth wyt ti'n weud, Harri? holod Bryn.

– Rwyt ti yn llygad dy le, was, cytunod hwnnw gan wenu.

Gwelsant Nikkie a Joyce yn cerdded tua'r ystafell goffi.

– Helô, strênjar, dwedod Nikkie wrth Harri.

– Helô Nikkie, Joyce, atebod Harri. – Sori mod i'n hwyr, Nikkie, ond roedd 'da fi dipyn i'w wneud bore 'ma.

– Dwyt ti ddim ar y ffidl, wyt ti Harri? gofynnod Nikkie yn blwmp ac yn blaen.

– Fi? Na.

– Na?

– Na.

Closiodd Nikkie ato. – Dw i ddim yn dwp, Harri. Plîs gwna ymdrech i ddod i mewn 'ma bob bore. Sen nhw'n gwybod mod i'n gwybod beth wyt ti'n neud… deall?

– Deall. Wnaiff e ddim digwydd 'to, atebodd Harri, oedd wedi addo i Elin y byddai'n ôl wrth ei waith erbyn hanner awr wedi naw y bore wedyn. Byddai un o'r ddwy fenyw'n cael ei siomi, felly.

7

Roedd Emlyn Pugh wedi cynhyrfu. Roedd e newydd gael galwad ffôn o'r Gorfforaeth i ddweud ei fod wedi methu ag ennill cytundeb adeiladu maes chwarae newydd i blant yn Aberteifi.

– Twpsod! Dim gweledigaeth, taranodd Emlyn gan gamu i mewn i'r gegin lle'r oedd ei frawd, Terry, yn eistedd yn darllen llyfr.

– Newyddion gwael… 'to? gofynnodd Terry heb godi'i ben o'i lyfr.

Yn wir, doedd Emlyn ddim wedi ennill yr un cytundeb i adeiladu maes chwarae ers dwy flynedd.

– Wyt ti'n gwybod beth ddwedon nhw? 'Mae'ch syniadau chi braidd yn hen ffasiwn, Mr Pugh'… hen ffasiwn… pah… Ro'n i'n fodlon cyfaddawdu bedair blynedd yn ôl pan ofynnon nhw i fi newid addurniade y fframie dringo o'r Teletubbies i'r Tweenies… roedd y gost yn aruthrol… a nawr, yn ôl y blydi Gorfforaeth, maen nhw'n moyn i fi newid i'r Bobinogs… ac roedd 'da nhw'r wyneb i ddweud bod y fframie dringo'u hunain yn hen ffasiwn… beth maen nhw'n moyn i fi 'i adeiladu… y blydi Bird's Nest?

– Great minds have always encountered violent opposition

from mediocre minds. Albert Einstein, meddai Terry oedd yn dal i ddarllen ei lyfr.

– Unwaith gei di afael ar dir Bryn Yale, fydd y Gorfforaeth yn ddim mwy na llwch dan olwynion dy gerbyd llwyddiant di, ychwanegodd.

– Ti'n iawn, Terrence. Dyle £15,000 fod yn ddigon i gael gwared â'r pwrsyn.

– Pob un â'i bris, Robert Walpole, atebodd Terry.

Edrychodd Emlyn yn swrth ar ei frawd, oedd yn dwp fel sledj yn yr ysgol, ond a oedd wedi newid yn gyfan gwbl ers blwyddyn neu ddwy.

– Ers i ti ddechre darllen y llyfre 'na rwyt ti'n real coc oen. Sai'n gwybod pam rwyt ti'n darllen gymaint. Sdim byd mewn llyfre. Rhain sy'n bwysig, ychwanegodd Emlyn gan godi'i law chwith a rhwbio'i fys bawd dros weddill ei fysedd.

– Gwraidd pob math o ddrwg yw cariad at arian; Timotheus Pennod 6, adnod 10. Ta beth dw i wedi dweud wrthot ti pam rwy'n darllen. Rhain… dwedodd Terry gan wthio bys i mewn ac allan o ddarn o gacen oedd ar blât o'i flaen.

– Ma 'da beth ti'n galw *hi* lot i ateb drosto… rwy'n mynd i weld ble mae Glyn, atebodd Emlyn.

– Michelle yw ei henw hi, Emlyn, meddai Terry, ond roedd Emlyn wedi cau drws y gegin ac eisoes yn cerdded ar draws y clos.

Newidiodd bywyd Terry Pugh ddwy flynedd ynghynt pan gyfarfu â myfyrwraig o Ffrainc oedd yn astudio'r gyfraith ac athroniaeth yng Ngholeg Aberystwyth. Dilynwyd y cyfarfod cynta meddw hwnnw yn un o glybiau nos y dref gan noson danbaid o ryw. Yn fuan wedyn darganfu'r ddau eu bod yn cyflawni anghenion sylfaenol ei gilydd.

Roedd e'n apelio at Michelle am ei fod yn ddyn ifanc cyhyrog gyda libido digonol ar gyfer ei chwantau nwydus. 'My caveman' roedd hi'n ei alw. Ac roedd hithau'n apelio ato fe oherwydd iddi agor y drws i fyd gwahanol i'r un roedd yn gyfarwydd ag ef, sef byd Glyn ac Emlyn, byd y godro a'r ffensio.

Dechreuodd Terry gymryd diddordeb mewn athroniaeth ar ôl iddi sôn am syniadau Spinoza, Kierkegaard, Sartre ac yn y blaen. Yn wir, doedd dim llawer o ddewis ganddo wrth iddi draethu am 'ddirfodaeth' tra oedd ar yr un pryd yn ei gadw yn y safle tantric am dair awr ar y tro.

Dechreuodd Terry ddarllen llyfrau athroniaeth o'r llyfrgell i geisio creu argraff arni. Wrth gwrs, sylwodd Michelle fod Terry wedi dechrau newid pan ddechreuodd ddadlau gyda hi am ddylanwad Hegel ar Marx. Ond caru'r Terry anniwylliedig a chnawdol roedd hi. Felly, pan raddiodd flwyddyn yn ddiweddarach, aeth Michelle yn ei hôl i Ffrainc heb ddweud gair wrtho heblaw am lythyr yn esbonio pam bod y berthynas ar ben. 'This comes to pass because my little caveman has escaped from the shadows.'

Ymateb Terry oedd aros y tu allan i'r ogof, llyncu gwaith Plato a'r mawrion eraill, a'u defnyddio i'w fantais ei hun.

Cyn iddo gyfarfod â Michelle, doedd gan y myfyrwyr uchel-ael roedd Terry'n eu ffansïo ddim diddordeb mewn ffermwr cyffredin fel fe. Ond, yn awr, sylweddolai fod y cyfuniad o hambon yn dyfynnu Schopenhauer a Kant yn gwneud i ferched gwympo'u nicyrs a neidio i'r gwely gydag e.

Roedd hyn yn ddigon o sbardun iddo ddyfalbarhau â'i astudiaethau athronyddol. Felly, tra bod Glyn ac Emlyn yn ceisio achub eu bywoliaeth, treuliai Terry ei amser yn synfyfyrio am y bydysawd, am foesau a bodolaeth Duw wrth odro neu gneifio.

Yn ogystal, meddyliai'n aml am ei fam, a fu farw o lid yr ymennydd pan nad oedd e ond dwyflwydd oed. Byth ers y diwrnod hwnnw, Glyn Pugh fu'n gyfrifol am fagu Emlyn a Terry. Ond erbyn hyn doedd Terry ddim yn siŵr pa mor foesol oedd athroniaeth ei dad, wrth iddo edrych ar ei ôl ei hun yn gynta, yn ail ac yn ola.

Clywodd ddrws y gegin yn agor.

– Wyt ti'n dal 'ma? Cer lan i'r cae top. Mae angen gwneud 'bach o waith ffenso lan 'na. Dw i'n mynd i'r dre i weld pobl yr adran gynllunio i ffindo mas beth sy'n digwydd ambiti'r blydi Yale 'na, gwaeddodd Glyn.

Ymhen hanner awr roedd Emlyn a Terry wedi dechrau ffensio yn y cae top uwchben tir Bryn Yale. Pan welodd y ddau fod fan camper gerllaw carafán Bryn, a bod dau hipi yn y cae, trodd Emlyn y tractor rownd ac aethant am adre ar unwaith. Ni fyddai eu tad yn hapus i glywed am hyn.

8

Y prynhawn hwnnw, penderfynodd Harri na allai wastraffu pob bore yn y Ganolfan. Y rheswm penna am hyn oedd ei fod yn ysu am gyfle i adeiladu'r pwll. Ond byddai'n rhaid iddo chwilio am esgus dros ei absenoldeb cyn dangos ei wyneb yno am hanner dydd.

Bu'n palu twll yng ngardd Elin a John am dros awr a hanner nes ei fod yn chwysu fel eliffant mewn sawna.

Canolbwyntiai cymaint ar ei waith fel na sylwodd ar bâr o lygaid yn ei wylio o'r ystafell wely. Ar ôl hanner awr o edrych ar gorff cyhyrog Harri, roedd Elin wedi cyrraedd pen ei thennyn.

– Harri, Harri, gwaeddodd o ffenestr yr ystafell wely fel Rapunzel reibus.

Chlywodd Harri mohoni am ei fod wedi ymgolli'n llwyr yn ei waith.

– Harri! sgrechiodd Elin yn uchel. Trodd Harri a'i gweld yn y ffenestr.

– Allwch chi ddod lan fan hyn am eiliad? Dw i'n cael trafferth i gau drws y wardrob, meddai Elin yn fwyn wrtho.

— Iawn, atebodd Harri gan osod ei raw yn daclus ger y twll a cherdded at ddrws cefn y tŷ. Bob hyn a hyn edrychai'n ôl i gymryd cipolwg ar ei gampwaith.

Cododd ei fag tŵls, tynnu'i sgidiau a cherdded i fyny'r grisiau at yr ystafell wely. Wrth iddo gerdded i mewn i'r ystafell, cafodd sioc o weld mai dim ond gŵn wisgo oedd gan Elin amdani. Gwenodd arno wrth iddi agor drws y wardrob.

— Fan hyn. Dyw e ddim yn cau'n iawn ers ache, dwedodd.

Cerddodd Harri draw at y wardrob. Estynnodd am gadair a sefyll arni i weld a oedd unrhyw broblem ar ben y drws.

— Yr hinjis yw'r broblem, dwedodd ar ôl iddo astudio'r wardrob am rai eiliadau.

— Allwch chi neud rhywbeth yn ei gylch? gofynnodd Elin gan agosáu at y gadair.

— Dim problem, atebodd Harri gan dynnu sgriwdreifer o'i fag tŵls. Dechreuodd dynhau'r sgriwiau, ac wrth iddo wneud hynny sylwodd fod llaw Elin yn cyffwrdd yn ei goes chwith.

— Well i fi'ch dala chi. Rhag ofn i chi gwympo, dwedodd wrtho.

— Diolch. Y broblem yw bod y sgriwie wedi dod yn rhydd dros gyfnod hir o amser. Problem syml. Bron â gorffen. Fydda i ddim chwinciad, meddai wrth iddo sylweddoli bod llaw Elin yn symud i fyny'i goes.

. — Elin... Na... peidiwch, dwedodd, cyn i law Elin gyrraedd pen ei thaith.

Camodd Harri i lawr o'r gadair a cheisio symud at y drws.

— Mae'n rhaid i fi fynd, dwedodd.

— Oes rhywbeth wedi codi? holodd Elin gan wenu'n slei arno.

— Oes... y ... ym... mae'n rhaid i fi fynd... 'nôl i'r Ganolfan... dwedodd Harri, ond cyn iddo orffen y frawddeg roedd Elin yn ei gusanu a'i dynnu ar y gwely. Wrth iddi wneud hyn sylwodd Harri fod plastr yn dechrau dod yn rhydd o'r nenfwd.

– Mae angen plastro'r nenfwd, Elin; dim ond llenwi cwpl o gracie sydd ei angen… Www…!

– Galli di lenwi'r rheiny'n nes ymlaen, atebodd, wrth iddi geisio tynnu belt trowsus Harri oddi amdano.

– Ond Elin. Eich gŵr… ry'n ni… Www! Roedd y belt wedi dod i ffwrdd.

– Dyw e ddim yn iawn, ychwanegodd gan edrych at y ffenest.
– Pwy osododd eich ffenestri dwbl chi? Maen nhw wedi cael eu ffitio'n warthus.

– Anghofia am y ffenestri dwbl ac anghofia am fy ngŵr. Sdim diddordeb 'da fe mewn rhyw. Mae e wastad wedi blino ar ôl dod gartre o'r gwaith, dwedodd Elin gan dynnu'r dilledyn olaf oddi am Harri. Ymhen eiliad roedd Elin yn eistedd ar ei ben a'r ddau'n bownsio i fyny ac i lawr ar y gwely. Wrth iddyn nhw wneud hyn clywai Harri sbringiau'r gwely'n gwichian. Hwn, meddyliodd, oedd ei gyfle ola i ddianc. Symudodd o dan gorff Elin, gwthio at waelod y gwely a chwilota yn ei fag tŵls.

– Beth wyt ti'n neud? gofynnodd Elin.

– Chwilio am olew, dwedodd Harri.

Cododd calon Elin wrth iddi feddwl am olew yn cael ei rwbio dros ei chorff, ond suddodd unwaith yn rhagor pan gododd Harri â chan o WD40 yn ei law.

Diflannodd Harri o dan y gwely i dynhau'r wing nuts a dechrau rhoi'r olew ar y sbrings, cyn sylweddoli fod Elin yn gorwedd wrth ei ymyl o dan y gwely.

– Dwyt ti ddim eisie fy siomi i, wyt ti Harri? Achos os gwnei di bydd yn rhaid i fi gael rhywun arall i adeiladu'r pwll.

Meddyliodd Harri am y bygythiad hwn wrth iddo drin y sbrings. Er nad oedd e eisie cyffwrdd mewn gwraig dyn arall, roedd adeiladu'r pwll yn bwysig iawn iddo – nid yn unig oherwydd yr arian ond hefyd am ei fod yn mwynhau'r gwaith.

Cofiai hefyd fod rhywun wedi cysgu gyda'i wraig e. Efallai y byddai cael rhyw gydag Elin yn help iddo anghofio am ei wraig ei hun o'r diwedd.

Aberthodd Harri ei hun i wneud yn siŵr y câi adeiladu'r pwll, a dechreuodd ar ei waith yn y gwely gyda'r un math o frwdfrydedd ag sydd i'w ddisgwyl gan grefftwr o'r safon ucha.

9

Gwibiai'r Citroën 2CV ar hyd heolydd cefn gwlad tuag at Benrhyn-coch, ac roedd Bryn yn llawn bonhomie tuag at ei gyd-deithiwr, John Burton.

– Ry'ch chi'n garedig iawn yn fy ngwahodd i draw am y prynhawn, dwedodd John.

– Paid â sôn. Dyw e ddim yn iach i ti fod yn cerdded strydoedd y dre a threulio gormod o amser ar dy ben dy hun. Ta beth, mae gen i reswm arall dros ofyn iti ddod draw. Wyt ti'n chwarae criced?

– Nag ydw.

– Paid â phoeni. Fe fyddi di, atebodd Bryn gan chwerthin yn uchel.

Wrth i'r car agosáu at Benrhyn-coch, gofynnodd Bryn i John pryd oedd e'n bwriadu dweud wrth ei wraig nad oedd swydd ganddo a'i fod yn ddi-waith.

– Sai'n gwybod. Hwnnw yw'r cam mawr, atebodd.

– Ddweda i un peth wrthot ti, John. Mae anodd dod o hyd i wraig dda, ond mae bron yn amhosib cael gwared ar un wael.

– Ry'ch chi'n meddwl y dyliwn i adael Elin, on'd y'ch chi? awgrymodd John.

– Wrth gwrs. Beth sydd gen ti i'w golli? Dwyt ti ddim yn hapus, dyw hi ddim yn hapus. Mae'n gyfle i ti ddechre o'r dechre unwaith eto. Edrych arna i, rwy'n hollol rydd.

– Dy'ch chi byth yn teimlo'n unig?

– Unig? Na, does neb yn unig os oes ganddyn nhw declyn bowlio, atebodd Bryn.

Cyrhaeddodd Bryn Cae Martha a gweld bod Mike a Jean Edrich yn sefyll ger y ffens oedd yn rhannu tir Bryn a thir y Pughiaid. Yn sefyll yr ochr arall i'r ffens roedd Glyn, Emlyn a Terry Pugh, ac roedd yn amlwg eu bod yn dadlau'n ffyrnig.

– Dere mla'n, John. Mi fydda i angen dy help di, dwedodd Bryn gan neidio allan o'r car a brasgamu tuag at y grŵp. Rhedodd John ar ei ôl. Ni sylwodd y ddau fod car wedi eu dilyn yr holl ffordd o Aberystwyth ac wedi parcio y tu ôl i'r Citroën 2CV. Yn y car roedd Phillip Hassock, aelod diweddaraf staff adran ymchwil y Gorfforaeth. Penderfynodd Phillip aros yn y car i weld beth fyddai'n digwydd nesaf.

– Beth sy'n mynd ymlaen fan hyn, Pugh? bloeddiodd Bryn wedi iddo gyrraedd y ffens rhwng ei dir ef a thir Glyn Pugh.

– Diolch byth dy fod ti yma. Sa i'n gallu handlo'r boi 'ma. Mae e'n nyts, dwedodd Edrich wrth Bryn.

– Glywoch chi 'na, Mr Yale? gwichiodd Glyn Pugh cyn ychwanegu, – Peidiwch â becso, Mr Yale. Dw i wedi cymryd came i gael gwared â'r teithwyr drewllyd hyn. Mae swyddogion y Gorfforaeth ar eu ffordd 'ma.

Edrychodd Bryn i fyw llygaid Glyn.

– Arhoswch eiliad, Pugh. Pa deithwyr drewllyd? Maen nhw'n westeion i fi. Ta beth, dy'ch chi Pugh ddim yn arogli fel Madame de Pompadour eich hunan.

– Beth! ebychodd Glyn.

– A dweud y gwir, chi yw'r unig berson sy'n tresmasu fan hyn, Pugh, dwedodd Bryn gan dynnu llaw Glyn Pugh oddi ar ei ffens.

– Ond Mr Yale, dy'ch chi ddim yn deall beth y'ch chi'n

neud. Unwaith i chi wahodd dau ohonyn nhw fe fydd rhagor yn dod. Maen nhw fel llygod ffrengig.

– A dw inne'n ddigon hapus i fod yn Bibydd Brith. Nawr, a fyddech chi mor garedig â gadael fy nhir cyn i'm cynorthwy-ydd cyfreithiol, Mr Burton fan hyn, ddechrau cymryd camau swyddogol yn eich erbyn? dwedodd Bryn yn gelwyddog.

Wrth iddo orffen siarad, clywodd Bryn sŵn traed y tu ôl iddo. Roedd Phil Hassock wedi penderfynu ymuno â'r drafodaeth.

– Ry'ch chi wedi trefnu cymorth cyfreithiol, Mr Yale. Doeth iawn. Aha! Mr Burton. Ry'n ni'n cyfarfod unwaith eto. Gwych, dwedodd Phillip Hassock gan glosio at John.

– Cyfreithiwr sy'n methu talu ei dreth. Diddorol, diddorol iawn. Dw i'n hapus fod eich dyddie ar y clwt bron ar ben. Llongyfarchiade ar eich gyrfa newydd, Mr Burton.

– Beth y'ch chi'n moyn? gofynnodd Bryn gan droi i wynebu Phil.

– Mae gen i bob hawl i fod 'ma, Mr Yale. Fe dderbynion ni alwad ffôn gan Mr Pugh, felly rwy wedi dod yma i helpu – ac ar yr un pryd i weld pa hawl sydd gennych chi i fyw ar y tir hwn fel y gofynnoch chi i ni ei wneud, atebodd Phil.

Gwenodd Phil, gwenodd Emlyn, a gwenodd Glyn Pugh wrth iddo sylweddoli bod rhywbeth yn sgleinio ar y borfa ar ei ochr e o'r ffens.

– Coca Cola. Tun o blydi Coca Cola, gwaeddodd Pugh gan bwyntio at y tun.

– Mae'r difrod wedi dechre'n barod, ac ar fy nhir i hefyd. Dw i'n ffermwr. Y tir yw fy mywoliaeth i ac ma'r hipis 'na'n ei ddefnyddio fel tomen sbwriel.

– Dim ond un can yw e. Peidiwch â gorymateb, y brych, dwedodd Bryn.

Ymateb Pugh i'r sylw oedd tynnu'i got a dechrau dringo dros y ffens.

– Fyddai Mike a Jean ddim yn yfed rwtsh fel Coke. Synnen i daten mai Terry adawodd iddo fe gwympo, ychwanegodd Bryn.

– Naddo fi, atebodd Terry – Pepsi dw i'n yfed. Emlyn sy'n yfed Coke...

Edrychodd pawb ar Terry. Roedd e wedi dechrau cochi.

– 'Na ni. Y broblem wedi'i datrys, dwedodd Bryn wrth Glyn Pugh.

– Dim ond i fwyta ac ymladd fydda i'n tynnu nghot, Yale, ac yn ffodus i chi mae'n amser cinio, dwedodd Glyn Pugh gan wisgo'i got amdano, troi ar ei sawdl a cherdded i ffwrdd.

– Y blydi idiot, dwedodd Glyn.

– Sori, Dad, meddai Emlyn oedd yn cerdded wrth ochr ei dad tra bod Terry'n dilyn rai llathenni y tu ôl iddyn nhw.

– Dim ti... Terry, am agor ei geg. Jest fel ei fam, yn methu dweud gair o gelwydd. Mae angen i ti gael gair 'da dy frawd i neud iddo fe sylweddoli bod gwaed yn dewach na dŵr.

– Dyn bach hawdd ei gynhyrfu, yn wahanol i chi a fi, Mr Yale, dwedodd Phil wrth iddo wylio teulu'r Pughiaid yn gadael. Trodd Bryn at Phil.

– Dw i'n moyn gwybod pa hawl sydd 'da chi i'm hatal i rhag byw mewn carafán ar fy nhir fy hunan, mynnodd Bryn.

– Mae'r gyfraith yn ddigon eglur, Mr Yale. Am fis yn unig y gallwch chi fyw mewn lletty nad yw'n barhaol. Mae'n amlwg i fi eich bod chi wedi byw yma am gyfnod llawer hirach na hynny. Dw i'n siŵr y bydd eich ffrind, Mr Pugh, yn fodlon cadarnhau hynny. Beth y'ch chi'n mynd i wneud, Mr Yale? gofynnodd Phil gan wenu'n filain.

– Symud y garafán i ran arall o'r cae? awgrymodd John yn dawel.

– Beth? gofynnodd Bryn a Phil ar yr un pryd.

– Symud y garafán i ran arall o'r cae. Wedyn fydd hi ddim ar yr un safle.

– Gwych, dwedodd Bryn gan gusanu John ar ei dalcen.

– Howsat? dwedodd wrth Phil.

– Bydd yn rhaid i fi weld a oes hawl 'da chi i wneud hynny, dwedodd Phil. Roedd wedi gwelwi'n sydyn.

– Well i chi fynd i ffeindio mas 'te, atebodd Bryn gan bwyntio at gar Phil. – On yer way, mate. Goodnight Charlie.

– Gall Bryn wedyn wneud cais cynllunio am hawl i fyw yn y garafán, gwaeddodd John ar ôl Phil gan sticio dau fys i fyny. – Ta ta, Pal !

– Nid dyma'r diwedd, Mr Yale, Mr Burton, dwedodd Phillip Hassock BA yn swta wrth gerdded at ei gar.

– Dyn bach hawdd ei gynhyrfu, yn wahanol i ti a fi, John, gwaeddodd Bryn gan roi braich ar ysgwydd ei ffrind.

Penderfynodd Phil y byddai'n rhaid iddo wneud ychydig o ymchwil ar John Burton yn ogystal ag ar Bryn Yale.

DAFYDD

1

Er nad oedd yn gwybod i sicrwydd y byddai Sioned yn dychwelyd i'w bedsit i fenthyca cwpl o lyfrau ar ôl i'r sesiwn yn y Ganolfan orffen, penderfynodd Dafydd y byddai'n syniad da iddo gynllunio'n ofalus ar gyfer hyn. Glanhaodd ei stafell, gan roi trefn ar ei gasgliad enfawr o lyfrau a'i gasgliad mwy fyth o bants brwnt.

Cododd un pâr o bants oddi ar y llawr a'u hastudio'n ofalus. Oedd, roedd cerdd ar y gweill. Teimlai'r wefr ym mêr ei esgyrn. Oedd, roedd pants yn odli â mans. Dechreuodd feddwl am gwpled i gyfleu hurtrwydd crefydd. Yna edrychodd yn agosach ar y pants. Gwelodd yr enw Dafydd Gregory wedi'i ysgrifennu ar y cefn. Yn sydyn daeth llif o atgofion yn ôl am ei fagwraeth a chronnodd dagrau yn ei lygaid. Ei fam-gu oedd wedi gwnïo'i enw ar gefn y pants cyn iddo fynd i'r Coleg chwe blynedd ynghynt.

Mae rhai pobl yn dweud bod plentyndod diflas yn gwbl angenrheidiol os ydi rhywun am fod yn fardd, gan ei fod yn rhoi sensitifrwydd iddo, yn ei wneud yn gignoeth, ac yn ei alluogi felly i uniaethu'n well â'i gyd-ddyn. Os yw hynny'n wir, cafodd Dafydd y fagwraeth orau posib.

Pan oedd yn dair blwydd oed bu farw ei rieni mewn damwain car. Ar y pryd roedd Dafydd yn aros gyda'i fam-gu yn Nhalgarreg, Ceredigion, a hi a'i magodd yn dilyn y diwrnod erchyll hwnnw. Wrth iddo dyfu'n ddyn, daeth yn gwbl ymwybodol bod dau o gewri'r pentref wedi rhoi pìn ar bapur o bryd i'w gilydd, a bod gan y ddau – Donald Evans a Dewi Emrys – chwe chadair a thair coron Genedlaethol rhyngddyn nhw.

Gydag amser dechreuodd Dafydd hefyd farddoni, ac er bod athrawon yr ysgol yn meddwl bod ei gerddi'n rhai digon gwantan, roedden nhw hefyd yn amau efallai mai diffyg gweledigaeth ar eu rhan nhw oedd yn eu hatal rhag gwir werthfawrogi ei farddoniaeth. Ar yr un pryd dechreuodd ei gyd-ddisgyblion ei osgoi, ac aeth si ar led bod anlwc a thrasiedi yn dod i ran unrhyw un fyddai'n anghwrtais wrtho neu'n ei drin yn wael.

Yn ystod blwyddyn gyntaf Dafydd yn yr ysgol uwchradd, torrodd yr athro Cymraeg ei goes wythnos yn unig ar ôl rhoi marc o ddau allan o ddeg iddo am un o'i gyfansoddiadau. Flwyddyn yn ddiweddarach, cafodd Dafydd grasfa gan aelod o'r un dosbarth ag ef wedi iddo ei ddynwared yn siarad, a dallwyd y bachgen hwnnw ar noson tân gwyllt dair wythnos yn ddiweddarach. Wedi i ddau aelod o'r chweched dosbarth ddwyn ei arian cinio oddi ar Dafydd bob dydd am wythnos, boddodd y ddau wrth nofio ymhell allan yn y môr oddi ar draeth Cei Newydd rhyw wyth mis yn ddiweddarach.

Ni lwyddodd rhai ffeithiau perthnasol i atal y sibrydion mai Dafydd oedd yn gyfrifol am y digwyddiadau anffodus hyn, sef bod yr athro Cymraeg wedi rhoi dim allan o ddeg i bawb arall yn y dosbarth, bod y bachgen a ddallwyd yn ymladd â bron pawb arall, a bod y ddau aelod o'r chweched yn dwyn arian cinio rhyw hanner cant o ddisgyblion.

Aeth Dafydd ati i ddefnyddio marwolaeth y ddau aelod o'r chweched dosbarth yn y ddamwain fel testun ar gyfer cerdd, ac er mawr siom i'r ysgol gyfan enillodd y gerdd honno gadair eisteddfod yr ysgol. Enillodd Dafydd y gadair bob blwyddyn o hynny ymlaen tan iddo adael yr ysgol yn ddeunaw oed. Er ei fod o'r farn mai ei dalent oedd yn gyfrifol am ennill y cadeiriau iddo, y gwir amdani oedd bod y beirniaid – y prifathro a'r athro Cymraeg – o'r farn ei bod hi'n fwy diogel o lawer rhoi'r gadair i Dafydd na pheryglu eu bywydau eu hunain neu fywyd person arall fyddai'n ennill yn ei erbyn.

Cynyddodd hyder Dafydd yn ei allu fel bardd o flwyddyn i flwyddyn, a llwyddodd i ennill graddau digon da i'w alluogi i fynd i astudio'r Gymraeg ym Mhriysgol Aberystwyth. Serch hynny, mae'n bwysig nodi na lwyddodd Dafydd erioed i ennill gwobr mewn eisteddfod leol ac roedd hynny, yn ei farn ef, oherwydd bod y beirniaid yn genfigennus o'i dalent aruthrol.

Yna dioddefodd Dafydd ddwy ergyd drom. Yn gyntaf, yn ystod yr haf cyn iddo fynd i'r coleg, bu farw ei fam-gu. Gadawodd ychydig o arian iddo, a llawer iawn o ddeunydd crai ar gyfer ei farddoniaeth. Yn ail, cyfansoddodd Dafydd gerdd rydd a chystadlu am goron Eisteddfod yr Urdd yng Nghaerdydd yn 2005. Gosodwyd ef ar ei ben ei hun yn y pedwerydd dosbarth, gyda nodyn yn dweud mai hon oedd 'yr ymgais waethaf erioed' ym marn y beirniaid.

Serch hynny parhaodd i geisio cyfansoddi cerddi, a chredai erbyn hyn mai colli'i fam-gu oedd yn gyfrifol am ladd ei awen.

Gwyddai y byddai'r awen yn dychwelyd rhyw ddydd. Treuliai'r nosweithiau, felly, yn yfed yn drwm yn ei ystafell ac yn ceisio ysgrifennu, ond yn methu. Roedd neithiwr wedi bod fel aml i noson arall yn ystod y chwe mis diwethaf. Bu'n yfed gwin ac eistedd wrth gyfrifiadur yn meddwl, nes iddo feddwi a llithro i drwmgwsg.

Ond y prynhawn hwn aeth Dafydd ati o'r newydd. Glanhaodd yn ofalus yr olion bagiau te a gawsai eu taflu yn erbyn y wal, a golchodd ei ddillad gwely yn y londrét am hanner awr wedi saith y bore. Arllwysodd ddau becyn o Shake 'n' Vac ar ei garped a defnyddio'r bolgi baw am hanner awr.

Felly, pan agorodd Dafydd ddrws ei ystafell a gofyn i Sioned gamu i mewn i'w blasty y prynhawn hwnnw, cafodd sioc wrth glywed ei geiriau cyntaf.

– O. Diolch byth bod yr ystafell fel tip. Ro'n i'n ofni y byddet ti'n gwneud ymdrech i ddlesio neu rywbeth twp fel'na. Cer i nôl y llyfrau ac awn ni allan i rywle am goffi.

2

Ar ôl y gyflafan gyda Bryn ynglŷn â'r can o Coke, penderfynodd Emlyn Pugh y byddai'n ddoeth iddo gael trafodaeth frawdol gyda Terry. Awgrymodd Emlyn y dylen nhw gyfarfod yn y maes chwarae plant ym mhentref glan môr y Borth, rhyw bum milltir o'u cartref. Pan gyrhaeddodd Terry y maes chwarae, roedd Emlyn eisoes wedi cyrraedd ac yn eistedd ar fainc.

– Pam uffern o't ti moyn i ni gwrdd fan hyn? gofynnodd Terry gan eistedd ar bwys Emlyn.

– Pam lai? Mae'n noson braf, atebodd Emlyn gan edrych ar y ffrâm ddringo, y pedair siglen, y si-so a'r ceffylau bach yn y maes chwarae.

– Hwn oedd fy nghytundeb cynta i, bum mlynedd yn ôl, dwedodd Emlyn gan gyfeirio at y maes chwarae o'i flaen.

– A dyw e ddim wedi cael ei adnewyddu ers hynny, meddai Terry'n sarcastig.

– Dw i'n gallu gweld hynny, atebodd Emlyn gan edrych ar y siglenni rhydlyd a'r paent yn plisgo oddi ar y si-so a'r ceffylau bach.

– Ond mae popeth yn gweithio'n berffaith. Gad i mi ddangos i ti. Si-so?– awgrymodd.

Dilynodd Terry ei frawd ac eisteddodd y ddau ar y naill ben a'r llall i'r si-so. Roedd Emlyn yn pwyso tipyn yn fwy na'i frawd, er bod Terry chwe modfedd yn dalach. Felly, tra bod traed Emlyn ar y llawr, roedd Terry rai modfeddi uwchlaw'r llawr wrth i'r ddau drafod pwysigrwydd y cynllun i gael gwared â Bryn oddi ar ei dir.

– Mae Glyn a minnau'n poeni tamed bach... am... wel... dy... beth yw'r gair?

– Ymroddiad?

– 'Na ni, ymroddiad, meddai Emlyn gan esgyn yn araf i'r

awyr wrth i Terry ddisgyn yn araf i'r llawr.

– Se fe'n help 'sech chi'ch dau'n dweud wrtha i am eich cynllunie yn lle fy anwybyddu bob whip stitch. Wedyn galla i benderfynu faint o ymroddiad sy 'da fi, atebodd Terry Pugh.

– Does 'da ti ddim dewis. Rwyt ti'n rhan o'r teulu 'ma ac fe wnei di'n gwmws beth ry'n ni'n dweud wrthot ti, dwedodd Emlyn gan ddisgyn i'r llawr yn glou a gorfodi Terry i godi yr un mor glou i'r awyr cyn disgyn ar ei sedd yn boenus.

– Na, nid plentyn ydw i rhagor, Emlyn, felly esbonia beth yw'r cynllun. Wedyn galla i benderfynu, atebodd Terry gan wthio'i hun tua'r llawr a gorfodi Emlyn i godi o'i sedd a dioddef yr un boen yn ei entrychion yntau. Gwingodd Emlyn a dweud,

– Olreit. I ddechrau, mae dau hipi'n aros ar dir Yale. A sai'n credu eu bod nhw'n mynd i symud o 'na am dipyn. Mae 'da Glyn gysylltiad pwysig yn y Gorfforaeth, ac ry'n ni wedi gofyn iddo fe bwyso ar Yale achos bod dim caniatâd cynllunio 'da fe i fyw yn y cae, dwedodd Emlyn. Clywodd sŵn griddfan yn dod o gyfeiriad Terry.

– Y bantam! 'Na'r peth ola ddylet ti fod wedi'i wneud.

– Pam?

– Achos taw'r unig beth sy raid iddo fe wneud os nad oes caniatâd cynllunio 'da fe yw cyflwyno cais cynllunio… a bydd e'n llwyddo 'fyd.

– Llwyddo, myn brain i! Mae e'n byw mewn carafán, achan, dwedodd Emlyn. Hanner-cododd Terry o'i sedd gan bwyntio dros y Borth i gyfeiriad y môr.

– Beth wyt ti'n weld fan'na, Emlyn? meddai gan bwyntio at gannoedd o garafannau mewn rhesi'n wynebu'r haul wrth i hwnnw ddechrau machlud.

– Os ydi e'n byw'n ddigon agos at bentre, mae pob hawl ganddo i fyw yn ei garafán. Os ydyn ni'n gallu cael caniatâd cynllunio, bydd yntau 'fyd yn gallu cael caniatâd cynllunio, y cwrcyn. Ac unwaith bydd e'n sylweddoli 'ny efalle gwneiff e feddwl am godi tŷ 'na 'fyd.

– Beth wyt ti'n feddwl dylen ni neud 'te, Einstein?

– Gadael iddo fod i fyw ei fywyd fel mae e'n moyn. Bydd yn hapus dy fod ti'n fyw, meddai Terry gan wenu ar ei frawd.

Gwenodd hwnnw'n ôl arno. Eiliad yn ddiweddarach roedd Terry'n gorwedd ar y llawr a'i frawd yn ei guro'n ffyrnig ar ei wyneb a'i gorff.

– Cymer hwnna, y bastard bach anniolchgar, hisiodd Emlyn gan gicio'i frawd yn ddidrugaredd.

– Pwy wyt ti i ddweud wrtha i beth i neud? Smo ti'n sylweddoli 'yn bod ni ar fin colli'r fferm? Sa i'n mynd i adael i hynny ddigwydd, ac rwyt ti'n mynd i'm helpu i, y cnych, gwaeddodd Emlyn gan ddechrau tynnu ei frawd ar hyd y maes chwarae. – Ceffylau bach? dwedodd gan lusgo'i frawd a'i godi i eistedd ar un o'r ceffylau.

– Plîs, Emlyn! Stopia, gwaeddodd Terry, a oedd erbyn hyn yn gwaedu o'i geg a'i drwyn.

Ond wrth i Emlyn ddechrau troi'r teclyn yn araf dechreuodd fwrw'i frawd unwaith yn rhagor.

– Wyt ti gyda ni neu beidio? ebychodd, gan droi'r ceffylau bach yn gyflymach a chyflymach.

– Plîs, Emlyn, na…

– Wyt ti gyda ni? gwaeddodd Emlyn wrth i'r ceffylau bach gyflymu. Roedd pen Terry'n troi a dechreuodd chwydu cymysgedd o fwyd a gwaed dros bob man.

– Wyt ti gyda ni?

Erbyn hyn roedd dwylo Terry wedi troi'n wyn wrth iddo geisio dal ei afael ym mwng y ceffyl bach.

– Ocê, Ocê, Ocê. Dw i gyda chi, meddai'n wantan, a'i ben yn troi.

Bum munud yn ddiweddarach roedd Terry'n siglo'n ôl ac

ymlaen ar un o'r siglenni gydag Emlyn yn ei wthio.

– Dw i wedi gneud hyn achos mod i'n dy garu di, Terry. Fe wnei di sylweddoli mhen amser dy fod ti wedi gneud y penderfyniad cywir, meddai Emlyn yn dawel gan anwesu gwallt ei frawd. – Reit, gwranda. Mae Yale yn ddigon hapus i aros ar y cae 'na achos bod cwmni 'da fe, yr hipis. Felly bydd yn rhaid i ni ga'l gwared ar yr hipis. Unwaith y cawn ni wared arnyn nhw, bydd Yale ar ei ben ei hun – ac yna gallwn ni ddechre meddwl sut i ga'l gwared arno fe. Iawn?

– Iawn, cytunodd Terry, ac yntau erbyn hyn wedi llwyr sylweddoli arwyddocâd damcaniaeth Darwin am oruchafiaeth y cryfaf.

3

Byth ers i Iwan ac Irene Prytherch dderbyn galwad ffôn y bore hwnnw yn cynnig tocynnau rhad i hedfan i wlad Groeg ymhen tridiau, roedden nhw ar bigau'r drain i weld eu merch Sioned yn cyrraedd adre.

Bwriadai'r ddau dreulio'r pythefnos canlynol yn chwilio am rywle i fyw'n barhaol yng ngwlad Groeg. Buon nhw wrthi'n brysur y bore hwnnw'n trefnu'r daith er mwyn ymweld â gwahanol dai oedd ar werth yn eu hoff ardal, sef Ithaca. Ar ôl iddyn nhw orffen gwneud y trefniadau ac eistedd i lawr dros baned o goffi, fe sylweddolon nhw y byddai'n rhaid iddyn nhw ddweud wrth Sioned am eu cynlluniau.

Gwyddai'r ddau y byddai Sioned yn cael siom o glywed bod ei rhieni eisiau symud i fyw i wlad Groeg hebddi. Felly yfodd Iwan ac Irene bedwar llond cafetière mawr o goffi wrth drafod sut i gyflwyno'r newyddion drwg iddi, ac erbyn i Sioned gyrraedd adref am chwech o'r gloch y noson honno roedd nerfau'r ddau yn rhacs jibidêrs.

– Helô Mam... Dad... Sori mod i'n hwyr... Fe dreuliais y prynhawn gyda ... ffrind. Sori, fydd dim angen swper arna i... rhaid i fi baratoi... Rwy'n mynd mas heno... dwedodd, gan gerdded i mewn i'r gegin, codi afal o'r bowlen a pharatoi i adael yr ystafell. Yn wir, roedd Sioned wedi mwynhau cwmni Dafydd yn arw y prynhawn hwnnw ac wedi cytuno i gyfarfod ag ef am ddiod y noson honno.

– Sioned, eistedd i lawr, wnei di? dwedodd ei thad yn awdurdodol gan dywallt cwpanaid arall o goffi iddo fe'i hunan.

– Beth sy'n bod? gofynnodd Sioned wrth iddi eistedd gyferbyn â'i rhieni.

– Mae 'da ni rywbeth i'w ddweud wrthot ti, dwedodd Irene yn benisel.

– Ry'n ni'n mynd i wlad Groeg am bythefnos... dwedodd Iwan.

Ond, cyn iddo allu ychwanegu gair, dwedodd Sioned, – Www... gwych... So' ni wedi bod ar wylie gyda'n gilydd ers blynydde...

– Na. Dwyt ti ddim yn deall... ceisiodd Irene ymyrryd, ond doedd Sioned ddim yn gwrando. Roedd hi wedi dechrau traethu am wyliau teuluol y gorffennol.

– Gobeithio y cawn ni well tywydd na gethon ni yn Sorrento. Gethon ni socad wrth ymweld â Pompeii, a doedd dim unman i guddio. Roeddet ti, Dadi, yn dy wely am ddyddie gydag annwyd ac roedd yn rhaid i fi a Mami fynd i weld Amalfi, Positano a Capri ar 'yn pen 'yn hunain...

Gwgodd Iwan, ond doedd dim pall ar lifeiriant geiriol Sioned.

– Y'ch chi'n cofio pan aethon ni i wersylla yn Llydaw a llosgodd Dadi ei goese ar y tân nwy... roeddet ti'n methu cerdded yn iawn am wythnose, chwarddodd Sioned. – A Mam, wyt ti'n cofio'r tro y cafodd Dadi wenwyn bwyd ar ôl bwyta cimwch ym Mharis? Treuliodd e weddill y gwyliau yn y gwely. Roedd yn rhaid i Mami a finnau fynd i'r Louvre, y Musée D'Orsay a'r Champs Elysées ar 'yn pen 'yn hunain unwaith 'to!–

Ond roedd yr atgofion hyn, yn gymysg â'r holl goffi oedd yn ei waed, wedi gwneud i Iwan deimlo'n ddig iawn tuag at ei ferch. Sylwodd ei bod hi, o'r diwedd, wedi gorffen siarad. Roedd Sioned hefyd newydd sylweddoli na fydde hi, wrth dreulio'r pythefnos canlynol yng Ngroeg yn gweld Dafydd. Roedd wedi mwynhau treulio'r prynhawn yn ei gwmni oherwydd bod ganddyn nhw gymaint yn gyffredin.

Rhoddodd y tawelwch gyfle i Iwan ddweud y gwir wrth Sioned.

– Alli di ddim yn dod gyda ni Sioned, dwedodd yn dawel.

Cododd Sioned ei phen. – Rwyt ti'n iawn. Alla i ddim dod 'da chi, atebodd fel chwip. – Rhaid i fi drial cael swydd a mynd i'r Ganolfan bob dydd, dwedodd yn gelwyddog gan ofni y byddai Dafydd yn colli diddordeb ynddi pe bai'n diflannu i wlad Groeg am bythefnos. – Ond ry'ch chi wedi talu am 'y nhocyn i....'sut galla i'ch siomi chi fel hyn? gofynnodd.

– Paid â phoeni, cariad, mae dy aberth di yn fwy na'n un ni, dwedodd Irene gan godi ar ei heistedd a rhoi ei braich o gwmpas ysgwydd ei merch.

– Ry'n ni'n siomedig, wrth gwrs, ond bydd yn rhaid i ni wneud ein gorau i fwynhau ein hunain gymaint ag y gallwn ni, ychwanegodd Iwan gyda gwep hir allanol yn cuddio'r wên fawr fewnol.

– Mae'n well i ti fynd i wneud dy hun yn barod, cariad, ychwanegodd Irene.

Wrth i Sioned esgyn y grisiau trodd Irene at Iwan a wincio ar ei gŵr.

4

Pan ddaeth Tony James adref o'r gwaith, dwedodd Joyce wrtho ei bod yn mynd i gyfarfod â Nikkie am ddiod yn yr Angel y noson honno. Ei ymateb ef oedd dweud nad oedd e byth yn ei gweld hi, a bod y Ganolfan wedi dechrau rheoli ei bywyd.

— Ar ôl dau ddiwrnod? Paid â bod yn dwp, achan, ebychodd Joyce. Trodd y drafodaeth yn ddadl a'r ddadl yn weiddi difeddwl, a chanlyniad hyn oll oedd i Joyce gerdded allan o'r tŷ a mynd yn syth i'r Angel. Roedd Nikkie wedi cyrraedd yno'n barod.

— Beth wyt ti'n moyn? Ga i'r rhain, dwedodd Joyce a cherdded at y bar oedd erbyn hyn yn dechrau llenwi. Wrth archebu'r diodydd, sylwodd fod rhai o ffrindiau Graham yn yfed wrth y bar.

— Dim ond pymtheg yw e, dwedodd Joyce wrth ddychwelyd at Nikkie.

— Dere, Joyce. Ro'n i'n yfed mewn tafarne pan o'n i'n bymtheg oed, ac mae'n siŵr dy fod tithe 'fyd.

— Mae'n wahanol pan y'ch chi'n rhiant.

— Digon gwir. Ond ches i byth mo'r cyfle i fod yn rhiant.

— Sori, dwedodd Joyce yn gyflym. — Do'n i ddim yn ei feddwl e felna.

— Mae'n iawn. Roedd Slick Willard gen i.

— Slick Willard?

— O, dim byd. Dy'n ni ddim yma i siarad am fy mhrobleme i... meddai Nikkie.

Ond ar ôl yfed tri dybler arall tra oedden nhw'n trafod problemau priodasol Joyce, llaciodd tafod Nikkie.

— Rwyt ti wedi gofyn am 'y nghyngor i ynglŷn â dy ŵr, ac felly mae'n deg i ti gael gwbod am Slick Willard, dim ond i ti addo peidio â dweud wrth neb, meddai. — Slick Willard oedd enw dol fentrilocwist y gŵr, Bobby. Ro'n i'n astudio seicoleg yng Ngholeg Caergrawnt pan gwrddes i â Bobby ac roedd y ddau ohonon ni'n aelodau o'r clwb Footlights.

– Wir? ebychodd Joyce.

– Roedd hi'n sioe eitha poblogaidd, ac fe fuon ni'n gweithio tipyn mewn clybie nos. Roedd yr arian yn dda ac ar ôl gorffen Coleg fe benderfynon ni droi'n broffesiynol.

– A…?

– Fuon ni ar *New Faces* a dod yn drydydd… ar ôl ci oedd yn canu a boi naw deg saith oed oedd yn gwneud sŵn rhechen trwy roi ei law dan ei gesail.

Aeth Nikkie yn ei blaen i ddisgrifio'i sioe hi a Bobby.

– Fi oedd cocyn hitio Slick Willard, y ddol. Dw i'n cofio pob eiliad o'r perfformiade ac yn dal i gael hunllefe am y peth, er ei fod e wedi digwydd dros ugain mlynedd yn ôl. Roedd y tri ohonon ni – fi, Bobby a'r ddol – yn gwisgo crys cowboi, sgidie cowboi, stetsyn… yr holl rigmarôl. Ro'n i'n chwarae gitâr a Bobby'n dal Slick, oedd yn chwarae'r ukulele. Roedd popeth yn iawn tan i Bobby ddechre ymddwyn yn od…

– Beth ti'n feddwl, ymddwyn yn od?

– Wel, aeth pethau o ddrwg i waeth pan symudodd Slick i mewn i'r ystafell wely… ac roedd Bobby… neu Slick… yn mynnu mod i'n gwneud pethe i Slick. Wrth gwrs ro'n i'n gwrthod, ond fe ddes i adre rhyw ddiwrnod a dal Bobby a Slick yn y gwely gyda'i gilydd… ac un peth sy'n sicr, nid llaw Bobby oedd lan cefn Slick! Fe adawes i y funud honno.

– Ond pam wnest ti aros gyda Bobby cyhyd? gofynnodd Joyce

– Ro'n i'n hoffi cerddoriaeth gwlad, ac roedd bod gyda Bobby yn rhoi cyfle i fi ei chwarae. Cerddoriaeth oedd hanfod y sioe ar y dechre; ar ôl hynny daeth Slick yn bwysig. Roedden ni'n gerddorion eitha da, ti'n gwybod… ond sai 'di bod 'nôl ar lwyfan ers hynny… gormod o atgofion gwael am Slick Willard…

Crynodd wrth lyncu ei chweched Martini mewn tri chwarter

awr. Cododd yn sigledig a throi at Joyce.

– Dim yma i siarad amdana i y'n ni, ond i siarad amdanat ti a Tony. Dere, ewn ni i'r Hen Lew Du am ddiod arall.

5

Yn y cyfamser, roedd Bryn ar ei bengliniau yn y garafân yn twrio drwy ffeiliau o hen straeon difyr. Roedd ganddo gasgliad o'i hoff erthyglau, yn cynnwys rhai o'i eiddo ef ei hun yn ogystal â rhai gan ei hoff newyddiadurwyr. Wedi dwy awr yn mynd drwy'r bocsys, daeth o hyd i'r erthygl y bu'n chwilio amdani. *Sunday Mirror*, 23 Mehefin, 1986.

Gwenodd wrth weld llun o Nikkie, ei gŵr Bobby, a chymeriad erchyll o'r enw Slick Willard.

– Howsat! gwaeddodd.

6

Gorweddai Elin Burton ar y soffa yn gwylio'r teledu wedi blino'n lân ar ôl prynhawn caled yn y gwely gyda Harri. Bob hyn a hyn estynnai y pecyn Pringles wrth ei hochr, a heb dynnu'i llygaid oddi ar y sgrin trosglwyddai'r creision o'r pecyn i'w cheg. Eisteddai John mewn cadair esmwyth yr ochr arall i'r ystafell fyw yn gwylio Elin, a hithau'n gwylio'r teledu.

Ers wythnosau bellach, roedd y ddau'n mynd trwy'r un ddefod bob nos. Cyrhaeddai John adref toc wedi chwech. Yna byddai'n rhoi ei Chicken Ping yn y meicrodon i'w dwymo cyn ei fwyta ar ei ben ei hun yn y gegin. Erbyn i John orffen gloddesta byddai Elin eisoes wedi symud i'w hafan o flaen y teledu, ac yno yr arhosai drwy'r nos. *Neighbours, Emmerdale, EastEnders, Coronation Street, The Bill, Pobol y Cwm*, ac yn y blaen. Dyna fyddai trefn nosweithiol Elin tan iddi fynd i'r gwely tua hanner awr wedi un ar ddeg.

Yn y cyfamser, byddai John yn mynd â Nip y ci am dro hir cyn dychwelyd awr a hanner yn ddiweddarach, cael bath ac eistedd yng nghwmni ei wraig am hanner awr cyn mynd i'r gwely tua deg o'r gloch. Erbyn i Elin gyrraedd yr ystafell wely byddai John yn cysgu, neu o leiaf yn esgus ei fod e'n cysgu.

Ychydig iawn o Gymraeg oedd rhwng y ddau. Efallai y byddai John yn dweud celwyddau am ei ddiwrnod yn y swyddfa ac Elin yn swnian am y pethau y dylai eu gwneud o gwmpas y tŷ a'r ardd. Serch hynny, roedd John yn benderfynol heno y byddai'n dweud wrth ei wraig ei fod yn ddi-waith. Efallai y byddai dweud y gwir wrth Elin yn gwella'r sefyllfa rhyngddynt – neu'n chwalu eu perthynas yn gyfan gwbl, meddyliodd.

Y broblem oedd sut i ddechrau sôn am y peth. Eisteddai'r ddau mewn tawelwch wrth i bobl yn Llundain, Sir Gaerfyrddin, Manceinion, Swydd Efrog a Melbourne drafod eu problemau ffug ar y sgrin, gan gyfathrebu'n hawdd â'i gilydd, yn wahanol i bobl go iawn. Bu John yn tin-droi am funudau hirion cyn penderfynu dweud y gwir yn blwmp ac yn blaen.

– Elin. Mae gen i rywbeth i'w ddweud wrthot ti. Fel rwyt ti'n gwybod, dw i wedi cael y bŵt o'r swyddfa ers chwe mis, ond dwyt ti ddim yn gwybod mod i wedi methu cael swydd arall. Wedes i gelwydd wrthot ti. Ry'n ni lan at ein clustiau mewn dyled ac o bosib fe fyddwn ni'n colli'r tŷ. Ro'n i'n methu dweud wrthot ti am fod arna i ofn byw ar ben fy hunan... y, y, y... hebddot ti... y, y, y... gobeithio wnei di faddau i fi a bod yn gefn i fi.

Tawelwch. Agorodd John un llygad gan hanner disgwyl gweld golygfa debyg i rywbeth o'r ffilm *The Exorcist*. Agorodd ei lygad arall. Roedd Elin yn gorwedd yn ddistaw ar y soffa gyda'i llygaid ar gau, yn chwyrnu'n isel bob hyn a hyn.

Teimlodd John y chwys oer yn rhedeg i lawr ei gefn. Roedd e wedi bod drwy uffern, ond heb gyflawni dim. Cododd o'i sedd a cherdded allan i'r ardd. Gwelodd fod y pwll wedi hanner ei adeiladu'n barod, a doedd e ddim yn edrych ymlaen at y diwrnod pan fyddai'n rhaid talu am y gwaith. Eisteddodd ar stepen y drws cefn gyda'i ben yn ei blu nes iddo gael syniad.

– Dw i wedi dweud wrthi. Nid 'y mai i oedd ei bod hi'n cysgu.

Ar ôl pendroni am ychydig, cafodd syniad gwefreiddiol. Gallai ddweud wrth aelodau'r Ganolfan ei fod wedi dweud wrth Elin ei fod e'n ddi-waith, a disgrifio sut roedd hi wedi'i gofleidio a'i ganmol am fod mor ddewr â dweud wrthi. Os gallai ddweud celwydd am ei fywyd yn y swyddfa wrth ei wraig, wel, gallai ddweud celwydd wrth aelodau'r Ganolfan am ei fywyd personol.

O hyn ymlaen, meddyliodd John, gallai fod mewn priodas hapus pan fyddai'n mynychu'r Ganolfan, a mwynhau gyrfa lwyddiannus pan fyddai adref. Perffaith. Gallai John greu Elin newydd. Elin oedd yn gefn iddo, yn ei garu a'i edmygu. Gwyddai John yn burion na fyddai ei berthynas ag Elin yn para'n hir pe dwedai'r gwir wrthi.

7

Gan fod Nikkie wedi cyfaddef y cyfan am Slick Willard, teimlai Joyce yn euog nad oedd wedi dweud wrthi am y daith i'r Amwythig. Penderfynodd y dylai ddweud y gwir wrth Nikkie yn araf bach, gan ddechrau trwy ddweud ei bod hi am fynd i'r Amwythig y dydd Gwener hwnnw.

– Gwych! Cyfle i ti a Tony dreulio amser gyda'ch gilydd i ffwrdd oddi wrth y teulu. Falle gallwn ni gwrdd am baned ar ôl i fi orffen y cyfarfod. Ddwedes i fod y cyfarfod yn yr Amwythig, yn do fe?

– Naddo, Nikkie, atebodd Joyce. Ond cyn iddi gael cyfle i

esbonio am daith aelodau'r Ganolfan ychwanegodd Nikkie gan chwerthin,

– Diolch byth mai dim ond ti sy'n mynd i'r Amwythig. Sai'n credu gallen i ddioddef gweld y gweddill yn fy nilyn i yno hefyd.

Gwenodd Joyce yn wan a phenderfynu y byddai'n ddoethach peidio â sôn wrth Nikkie am y daith.

Bu'r ddwy'n mwynhau'r noson wedi hynny, gan drafod eu diddordeb mewn cerddoriaeth. Siaradai Nikkie am ei harwyr canu gwlad, tra bod Joyce yn canmol rhinweddau New Wave a chantorion fel Siouxie Sioux a Poly Styrene.

– Pam na wnei di berfformio 'to? gofynnodd Joyce.

– Allen i byth. Ddim ar 'y mhen 'yn hunan.

– Alla i ddweud cyfrinach wrthot ti? gofynnodd Joyce gan glosio at Nikkie.

– Beth?

– Ro'n i'n arfer bod mewn band 'fyd... Y Slyts. Pan o'n i'n un deg saith oed ro'n i'n chwarae gitâr fas... Fe allen ni'n dwy ffurfio band...

– Wel, mae'r gitâr a'r harmonica'n dal 'da fi, meddai Nikkie.

– Ac mae'r gitâr fas yn dal yn yr atig 'da fi, meddai Joyce.

Edrychodd y ddwy yn daer ar ei gilydd cyn codi eu gwydrau a chynnig llwnc- destun.

– I Pync Roc, meddai Joyce.

– Ac i Ganu Gwlad, meddai Nikkie.

8

Eisteddai Dafydd a Sioned gyferbyn â'i gilydd mewn tafarn yng nghanol y dref. Roedd Dafydd wedi dewis y dafarn hon oherwydd ei bod yn dawel yno. Dim ond un hen ddyn oedd yn y bar, ac roedd e'n nyrsio'i beint ac yn siarad â fe'i hunan. Eisteddai'r barmon ar sedd y tu ôl i'r bar yn gwrando ar lais Roy Orbison yn canu 'It's Over, It's Over, It's Over' o'r sgrechflwch. Gwenodd Dafydd yn nerfus ar Sioned a sipian ei beint, a sipiodd hithau ei hanner o lager. Penderfynodd gymryd yr awenau a gofyn cwestiwn iddi. Yn wir, roedd e wedi bod yn brysur yn paratoi rhestr o gwestiynau i geisio cynnal sgwrs er mwyn i'r ddau ymlacio yng nghwmni'i gilydd.

Gofynnodd ei gwestiwn cyntaf. – Sut blentyndod gest ti?

Dechreuodd Sioned sôn am ei chefndir, ei pherthynas gyda'i rhieni, digwyddiadau yn yr ysgol gynradd, digwyddiadau yn yr ysgol uwchradd, bywyd Coleg, dychwelyd i fyw gyda'i rhieni, methu cael swydd ac ymuno â'r Ganolfan.

Ni ddwedodd Dafydd air am awr bron, ac eisteddodd yn fud yn gwrando ar Sioned yn palu mlaen am ei bywyd, gan gymryd seibiant bob hyn a hyn pan âi ar y bar i brynu diodydd.

Cododd ei galon pan ddwedodd Sioned fod ei thad yn arfer ysgrifennu pan oedd e'n iau. Roedd Dafydd yn gyfarwydd â'r ddamcaniaeth fod merched yn tueddu i ddewis partneriaid oedd yn debyg i'w tad, a phenderfynodd holi ymhellach.

– Ydi e wedi cyhoeddi gwaith o gwbl?

– O do... sawl llyfr, atebodd Sioned.

– Do fe wir? Oedd e'n barddoni? Oedd e'n llwyddiannus? gofynnodd Dafydd, gan ddechrau difaru holi am yrfa llenyddol tad Sioned rhag ofn ei fod yn awdur adnabyddus.

– Sylwodd Sioned ar y tinc o genfigen yn llais Dafydd.

– Na... potsian... straeon byrion yn bennaf... rwy'n credu taw rhyw gant a hanner o'i lyfrau werthwyd... dw i'n siŵr y byddi di'n llawer mwy llwyddiannus na fe, atebodd.

– Dim ond os yw'r awen gen i, dwedodd Dafydd.

Erbyn un ar ddeg o'r gloch roedd Dafydd wedi yfed wyth peint o Strongbow, ac wrth iddo ddechrau meddwi medrai uniaethu'n llwyr â methiannau Sioned. O'r diwedd, meddyliodd, roedd wedi cyfarfod â rhywun oedd wedi profi'r un teimladau a'r un rhwystredigaethau ag e. Roedd Dafydd wedi syrthio mewn cariad.

Am ddeng munud wedi hanner nos cerddodd y barmon draw atyn nhw i ddweud fod y bar wedi cau.

– Ai dyna'r amser? Oes rhywle arall gallwn ni fynd?

– Yr Angel.

Roedd Dafydd yn ceisio dweud cyn lleied â phosib am ei fod yn cael trafferth symud ei wefusau.

– Aggorr tan bbbbbbedwar, dwedodd, a'i dafod yn dew.

– Dere mla'n te. Dw i eisiau bwgi, dwedodd Sioned gan godi ar ei thraed a chynnig ei braich i Dafydd.

Wrth i'r ddau gerdded at yr Angel, closiodd Sioned at Dafydd. Gallai ef arogli ei phersawr yn gymysg ag awel y môr, ac wedi iddyn nhw gyrraedd prynodd Sioned ddiod i'r ddau cyn iddyn nhw eistedd wrth ford nid nepell o'r llawr dawnsio.

– Wyt ti'n moyn dawnsio? gofynnodd Sioned.

– Na. Ond cccer di, atebodd Dafydd, gan obeithio y byddai'n aros wrth ei ymyl.

– Ocê. Edrych ar ôl 'y mag i. Sa i wedi cael bwgi ers ache.

Wrth i Dafydd wylio Sioned yn dawnsio, meddyliodd am y noson roedd wedi'i threulio yn ei chwmni. Er iddi siarad yn ddi-stop amdani hi ei hunan, doedd dim ots ganddo. Doedd dim dwywaith amdani, roedd Dafydd dros ei ben a'i glustiau mewn cariad â Sioned. Gwyliodd hi'n dawnsio a gwenodd yn feddw.

Ond roedd pâr arall o lygaid yn gwylio Sioned yn dawnsio. Winciodd Phillip Hassock BA ar Iwan ac amneidio tuag ati. Rhoddodd ei sudd oren ar y bar, sythu'i dei a cherdded tuag ati.

Y noson honno, roedd Phil ac Iwan wedi bod yn dathlu dyrchafiad Phil i'r adran ymchwilio. Saith peint o lager i Iwan a saith sudd oren ac iâ i Phil. Noson drom. Closiodd Phil at Sioned a cheisio siarad â hi, ond roedd y gerddoriaeth yn rhy uchel iddi glywed dim a ddywedai. Closiodd ati eto i weiddi rhywbeth yn ei chlust, ond symudodd Sioned i ffwrdd.

Ond nid un i gael ei guro mor hawdd â hynny oedd Phillip Hassock BA. Penderfynodd ddilyn Sioned o gwmpas y llawr dawnsio.

Yn y cyfamser, roedd Dafydd wedi sylwi ar Phil yn ceisio dawnsio gyda'i gariad. Roedd popeth wedi mynd mor dda rhyngddyn nhw ac yn awr roedd rhywun yn ceisio dinistrio popeth. Ceisiodd godi ond methai'n lân â symud ei goesau. Ceisiodd unwaith eto, ond y tro hwn cwympodd yn ôl yn ei sedd. Er ei fod yn feddw dwll, teimlai fod yn rhaid iddo wneud rhywbeth.

Erbyn hyn, roedd Phil wedi llwyddo i gornelu Sioned ac roedd ar fin dweud rhywbeth dwys a doniol wrthi pan deimlodd boen ofnadwy yn ei goes. Clywodd Sioned sgrech angerddol, a phan edrychodd Phil ar ei draed gwelai Dafydd ar ei bengliniau gyda'i ddannedd yn ei goes. Ceisiodd Phil ryddhau ei goes, ond llithrodd ar y llawr slic a chwympo ar ei din i ymuno â'r gwallgofddyn ar y llawr.

– Dafydd Gregory! gwaeddodd Sioned wrth geisio gwahanu'r ddau oedd erbyn hyn wedi dechrau ymladd.

Un eiliad roedd Dafydd yn taflu'i ddyrnau at Phil, a'r eiliad nesaf roedd bownser anferth yn ei dynnu drwy'r dafarn. Ymhen chwinciad roedd ei din yn cyffwrdd â'r pafin y tu allan.

Sylweddolodd fod Sioned yn ceisio ei godi ar ei draed.

– Beth yn y byd oeddet ti'n treial wneud?

– Ymmmff Grrr, atebodd Dafydd.

– Pathetic. Wy'n gallu edrych ar ôl fy hunan, ti'n gwybod.

Wrth i Sioned godi Dafydd ar ei draed, chwydodd dros ei hesgidiau newydd. Edrychodd hithau arno a siglo'i phen mewn anghrediniaeth lwyr.

9

Roedd popeth yn dawel yng Nghae Martha. Chwyrnai Bryn yn braf gan freuddwydio bod Lloegr ar fin colli gêm brawf yn erbyn yr India yn Calcutta. Er hynny roedd Bryn yn dal yno gydag 86 heb fod allan, ac yn chwysu peintiau yn ei wely wrth freuddwydio am chwysu yng ngwres Gerddi Eden.

Roedd Mike a Jean Edrich, hefyd, yn chwyrnu'n braf ar ôl cael dau neu dri Single Skinner o fwg drwg cyn mynd i gysgu.

Ond doedd Emlyn a Terry Pugh ddim yn eu gwelyau. Roedden nhw'n cropian o gwmpas carafán Bryn.

– Scabies, Scabies, sibrydodd Emlyn yn isel.

– Dere mla'n Terry, rho fe i'r diawl.

Tynnodd Terry ddarn o gig allan o'i fag a'i daflu at y ci, a dechreuodd hwnnw fwyta'r cig yn awchus.

– Druan ag e. Synnwn i fochyn mai dyna'r tro cynta iddo fe gael darn o gig ers blynyddoedd. Trueni mai cig eidion Seland Newydd yw e, meddai Emlyn. – Y tro cynta a'r tro olaf iddo flasu cig, ychwanegodd wrth iddyn nhw aros i'r powdwr cysgu effeithio ar y ci.

Ymhen ychydig funudau roedd Scabies yn cysgu'n drwm. Suddodd calon Terry wrth iddo weld llygaid y ci'n araf gau. Sylweddolodd mai bywyd y ci oedd yr aberth cynta ar allor ei wendid. Datododd y rhaff gref oedd yn dal y ci'n sownd, a'i gludo oddi yno i berfedd nos.

JOYCE

1

Roedd Joyce James yn chwyrnu'n braf pan ddihunwyd hi gan fraich ei gŵr Tony yn procio'i chefn. Agorodd un llygad ac edrych ar y cloc larwm wrth ochr y gwely. Pum munud i wyth.

– Bore da. Gysgest ti'n iawn? gofynnodd Tony, yn wên o glust i glust.

– Ychhh, atebodd Joyce.

– Mae Diane yn gwneud brecwast i ti, ychwanegodd ei gŵr. Nid atebodd Joyce ond clywodd ddau lais yn gweiddi ar ei gilydd yn y gegin. Roedd yn amlwg bod Graham yn helpu'i chwaer. Clywodd sŵn traed ei mab yn rhedeg i fyny'r grisiau.

– Graham. Dere 'ma, gwaeddodd Joyce cyn difaru gwneud hynny eiliad yn ddiweddarach.

– Beth wyt ti'n moyn, Mam? gofynnodd Graham gan edrych i mewn i'r ystafell wely.

– Dwyt ti ddim yn yfed mewn tafarne, wyt ti? gofynnodd Joyce wrth gofio iddi weld rhai o ffrindiau ei mab yn yr Angel y noson cynt.

– Nagw…

– Gwd boi.

– Pam dylwn i? Ma 'da ni gwpwrdd llawn diodydd gartre.

Cododd Joyce ar ei heistedd gan weiddi. – Be ddwedest ti?

Gwenodd Graham a chwarddodd Tony – roedd yn ymddwyn yn od iawn y bore hwnnw.

– Jocan oedd e, Joyce, meddai Tony cyn i Graham ychwanegu, – Wrth gwrs mod i ddim yn yfed. Wyt ti'n sylweddoli beth mae alcohol yn neud i dy system di? Gethon ni weis am effaith alcohol y tymor diwetha a gweld DVD yn dangos afu yfwr trwm. Roedd e wedi crychu i gyd… a…

– Paid Graham, dim nawr plîs.

Teimlai Joyce yn benysgafn, a phan gyrhaeddodd Diane gyda'r brecwast o ddau wy, bacwn, selsig, bara wedi'i ffrio a phwdin gwaed a'i roi o dan drwyn ei mam, cododd Joyce o'i gwely a rhedeg i'r ystafell ymolchi.

– Ac mae'r ymennydd yn crychu 'fyd. Roedd 'da nhw un mewn jar o alcohol, gwaeddodd Graham.

Wedi i Joyce orffen chwydu, symudodd at y basn i olchi'i hwyneb. Sylwodd fod Tony wedi ymuno â hi yn yr ystafell ymolchi. Roedd yn dal yn wên o glust i glust.

– Fydden i'n meddwl ei bod hi braidd yn gynnar i ti fod yn sâl yn y bore, dwedodd gan gofleidio'i wraig.

– Yn y drych gwelodd Joyce adlewyrchiad o wyneb ei gŵr.

– Beth?

– Rwyt ti'n gwybod yn iawn. Neithiwr. Ro't ti'n ffantastig, dwedodd gan wincio arni.

Mewn fflach, cofiodd Joyce am neithiwr. Trodd yn ôl at y toiled.

– Iesu! dwedodd a chwydu unwaith yn rhagor.

2

Agorodd Dafydd ei lygaid. Methai'n lân â symud ei ben oherwydd y boen oedd yn lledu'n gyflym ar draws ei dalcen. Wrth iddo orwedd yn llonydd yn ei wely, treiddiodd rhai atgofion o'r noson gynt i'w ymwybod. Gallai hanner cofio iddo gnoi coes rhywun a chwydu dros esgidiau Sioned. Gwenodd wrth feddwl ei fod yn amlwg wedi breuddwydio am y digwyddiadau hyn. Mae'n rhyfedd sut mae breuddwydion yn gallu plethu mor esmwyth ag atgofion o'r byd real, meddyliodd.

Diflannodd y wên pan sylweddolodd nad breuddwydion oedden nhw. Gwingodd wrth sylweddoli ei fod wedi gwneud cawlach o bethau gyda Sioned. Roedd ei geg yn sych fel daps arab, ei lygaid yn llawn sêr, a'i freichiau a'i goesau'n ddiymadferth. Ar ben hynny roedd sŵn sïo yn ei glustiau. Roedd y dychryn a ddilynai pob noson o yfed yn prysur gyrraedd.

Wrth iddo sylweddoli ei fod yn gallu arogli persawr, cofiodd Dafydd am sylw Marcel Proust am arogl neu flas penodol sy'n ein hatgoffa am ddigwyddiad hapus yn y gorffennol. Meddyliodd Dafydd ei fod yn arogli persawr oherwydd bod hyn yn ei atgoffa o'r noson yng nghwmni Sioned cyn i bopeth fynd ar chwâl.

Teimlodd rywbeth yn symud yn y gwely. Doedd hyn ddim yn peri syndod iddo chwaith. Roedd effaith yr alcohol yn dechrau cydio yn ei gorff a'i ymennydd. Cam nesaf y profiad dychrynllyd fyddai ymddangosiad llygoden fawr yn gwisgo tuxedo ac yn chwythu'i chynffon fel trwmped.

Ciledrychodd Dafydd a gweld corff llonydd wrth ei ochr, ac nid corff llygoden oedd yno chwaith. Cododd y blancedi a gweld Sioned yn gorwedd yn noeth wrth ei ymyl ac yn cysgu'n dawel.

– Iesu! dwedodd.

3

Ar yr un pryd roedd Phil Hassock yn eistedd wrth ei ddesg yn ei swyddfa. Cyrhaeddodd ei waith hanner awr yn hwyr am iddo orfod hercian yr hanner milltir o'i fflat i'r swyddfa. Wrth stryffaglu drwy'r dref, meddyliodd am y gwallgofddyn oedd wedi cnoi ei goes.

Trodd ei gyfrifiadur ymlaen, a cheisiodd gofio enw'r ferch yn yr Angel. Yna cofiodd ei bod hi wedi gweiddi'r enw Dafydd Gregory. Teipiodd yr enw i mewn i'w gyfrifiadur, a daeth manylion ar y sgrin a ddangosai fod Dafydd Gregory yn aelod o'r Ganolfan Raglenni. Yna cafodd Phil syniad. Teipiodd unwaith eto ac ymddangosodd enwau aelodau diweddara'r Ganolfan ar y sgrin, gan gynnwys John Burton a Bryn Yale.

– Iesu! dwedodd Phil ac aeth ati i nodi cyfeiriadau'r aelodau.

4

Roedd Bryn yn dal i chwysu peintiau. Roedd wedi sgorio 198 heb fod allan, a Lloegr wedi cyrraedd 455 am saith wiced yng ngwres llethol y prynhawn yn Calcutta. Edrychodd o gwmpas y cae cyn derbyn y bêl nesaf gan droellwr India, Bishen Bedi. Bowliodd Bedi bêl fer a bwrodd Bryn hi am bedwar. Dau gant arall, ei ddau ganfed yn ei yrfa ryngwladol. Cododd ei fat ac edrych ar y dorf o 70,000 yn ei gymeradwyo trwy daro'u traed ar y llawr a chreu sŵn byddarol. Dihunodd Bryn a chlywed sŵn byddarol rhywun yn curo ar ddrws y garafán.

Yno safai Mike a Jean Edrich, ac wrth i Bryn agor y drws sylwodd Mike fod pyjamas Bryn yn wlyb sopen.

– Beth wyt ti 'di bod yn neud? Ti'n wlyb diferu, dywedodd Mike.

– Sgorio dau gant yn erbyn India, wrth gwrs, atebodd Bryn.
– Beth sy'n bod? Mae o leia awr arall o fatio ar ôl gen i cyn i fi godi.

– Mae Scabies wedi diflannu, atebodd Jean.

Edrychodd Bryn draw at y man lle clymwyd y ci dros nos. Roedd y rhaff hir a ddaliai Scabies yn gorwedd yn llipa ar y llawr.

– Sai'n deall sut y llwyddodd e i ddianc, dwedodd Mike.

– Ry'n ni wedi gwneud yn siŵr ei fod e wedi'i glymu'n dynn bob nos o achos y ffermwr Pugh 'na, ychwanegodd Jean.

Camodd Bryn allan o'i garafán a cherdded at y rhaff. Edrychodd o'i gwmpas. Roedd yn mynd i fod yn ddiwrnod gogoneddus o haf, er bod tarth ar lawr y dyffryn ar hyn o bryd.

– Sai'n deall chwaith, dwedodd Bryn wrth i'r tri glywed sŵn

dryll yn cael ei danio ddwywaith.

Gwelsant rywun yn agosáu o'r pellter, a sylweddolodd Bryn mai Glyn Pugh ar gefn cerbyd 4x4 oedd yno. O'r diwedd, cyrhaeddodd Glyn Pugh y ffens oedd yn rhannu tir y ddau. Cododd fag sbwriel du, oedd yn amlwg yn drwm, o gefn y cerbyd a'i daflu dros y ffens.

– Wnes i'ch rybuddio chi beth fyddai'n digwydd se 'na dresmasu. Roedd eich ci chi'n poeni nefaid i a doedd dim dewis 'da fi. Roedd pob hawl 'da fi i'w saethu fe.

Gyrrodd i ffwrdd heb ddweud gair pellach.

– Y bastard, wylodd Jean wrth weld y ci'n gorwedd yn gelain ar y llawr.

– Sai'n credu y gallwn ni wneud dim byd os oedd Scabies ar ei dir e, dwedodd ei gŵr wrthi.

– Dim ond ei gladdu fe, druan, meddai Bryn. – A' i i nôl rhaw, ychwanegodd gan wybod yn iawn bod Pugh neu ei feibion wedi datod y rhaff oedd yn dal y ci.

5

– Dw i'n dod. Dw i'n dod, gwaeddodd Elin. Symudodd oddi ar Harri a gorwedd wrth ei ymyl ar y gwely.

– Well i fi fwrw mla'n i adeiladu'r pwll, dwedodd Harri'n oeraidd gan ddechrau codi o'r gwely.

– O, Harri. Sai'n moyn i ti orffen y pwll 'na'n rhy fuan. Dw i'n mwynhau ca'l bore fel hyn 'da'n gilydd. Jest pum munud fach arall, dwedodd Elin gan dynnu Harri'n ôl i'r gwely. Yna clywodd y ddau gloch y drws yn canu.

– Pwy sy 'na? Dy ŵr di yw e? holodd Harri gan neidio o'r gwely a chwilio am ei drowsus. Cofiodd ei fod e'n gwisgo handcyffs a buan iawn y sylweddolodd pa mor anodd ydi gwisgo trowsus dan y fath amgylchiadau.

Canodd y gloch unwaith yn rhagor a chododd Elin o'r gwely a chamu at y ffenest. Mewn chwinciad roedd Harri y tu ôl iddi ac yn edrych dros ei hysgwydd.

– Pwy yw e?

– Dyn.

– Dw i'n gallu gweld 'ny. Ond wyt ti'n ei nabod e? Dy ŵr di yw e?

– Nage, atebodd Elin gan wisgo'i gŵn amdani a cherdded i lawr y grisiau.

– A ble mae allweddi y blydi handcyffs 'ma? gwaeddodd Harri ar ei hôl.

Aeth ati i chwilio am yr allwedd gan edrych o dan y gwely, ar y llawr ac yn y dreiriau. Aeth trwy grysau, pants, a sanau cyn dod ar draws llun priodas Elin ar waelod un drôr. Edrychodd ar y llun am rai eiliadau cyn sylweddoli pwy oedd y dyn a safai wrth ymyl Elin. Roedd ei wallt yn hirach a'i wyneb yn deneuach, ond doedd dim amheuaeth mai John Burton oedd e.

– Iesu! meddai Harri gan geisio rhoi ei ddwylo ar ei ben a methu oherwydd yr handcyffs.

Yn y cyfamser roedd Elin wedi agor drws y ffrynt.

– Mrs Burton? gofynnodd Phil Hassock gan wenu'n wylaidd ar Elin.

– Ie, atebodd hithau gan edrych arno o'i gorun i'w sawdl.

– Ydi Mr Burton gartre?

– Nag ydi, mae e yn ei waith.

Gwenodd Phil. – Yn ei waith? Eich gŵr yw Mr John Burton?

– Ie. Mae e'n gwerthu yswiriant i gwmni Paramount Insurance yn y dre. Mae'r swyddfa yn Chalybeate Street.

– Diddorol. Diddorol iawn, dwedodd Phil.

– Oes problem?

– Na. Ry'ch chi wedi dweud… wedi dweud digon. Fe wna

i ei ddal e yn y gwaith.

– Pleser, unrhyw bryd, meddai Elin gan wenu.

– Ry'ch chi'n brysur, dwedodd Phil gan edrych ar y bag o sment ger drws y ffrynt.

– Adeiladu pwll yn yr ardd, esboniodd Elin.

– A'r gŵr sy'n gwneud y gwaith?

– Na, dw i wedi cael rhywun gyda 'bach mwy o dalent, atebodd hithau gan edrych yn ofalus ar ben-ôl Phil wrth iddo hercian i ffwrdd.

– Wel. Pwy oedd e 'te? gofynnodd Harri'n wyllt pan ddychwelodd Elin i'r ystafell wely.

– Paid â phoeni, dim ond rhywun yn chwilio am John, dwedodd Elin gan gusanu Harri ar ei frest a dechrau tynnu'i grys.

– Ond pwy oedd e?

– Wnes i ddim gofyn. Yr unig beth rwy'n cofio yw bod ganddo fe lygaid glas. Dw i'n mynd yn wan pan wela i lygaid glas... fel rwyt ti'n gwybod.

Dechreuodd Elin gofleidio Harri ond symudodd ef o'i gafael.

– Ble mae'r allwedd?

– Olreit. Rwyt ti'n haeddu hoe fach, dwedodd gan estyn o dan y gobennydd am yr allwedd. Datgysylltodd Harri ei hun a gwisgo'n glou.

– Mae'n rhaid i fi fynd i'r Ganolfan. Bydd yn rhaid i fi ddechre ar y gwaith y prynhawn 'ma.

– Holodd y dyn 'na am y pwll, dwedodd Elin.

– Beth ofynnodd e?

– Jest gofyn ai John oedd wrthi'n ei adeiladu.

– Bydd raid i fi orffen y gwaith ar y pwll yn go glou. Dw i'n ame bod pobol o'r Gorfforaeth yn cadw llygad arna i.

– Ond wedyn bydd raid i fi chwilio am rywbeth arall i ti

wneud, awgrymodd Elin.

Chlywodd Harri'r mo'r frawddeg olaf gan ei fod yn rhedeg i lawr y grisiau.

6

Bu aelodau'r Ganolfan yn brysur yn ystod gweddill yr wythnos yn paratoi ar gyfer y daith i'r Amwythig ar y dydd Gwener. Codwyd calonnau pawb wedi i John gyhoeddi fore dydd Mercher ei fod wedi dweud wrth Elin ei fod yn ddi-waith.

– Beth oedd ei hymateb? gofynnodd Nikkie, a llifodd y celwyddau o enau John.

– Dechreuodd hi lefain... na, wylo. Yna rhoddodd ei phen yn ei dwylo cyn... cyn... syrthio ar ei phenglinie a gofyn am faddeuant am y ffordd mae hi wedi nhrin i ers 'y mhriodi i.

– Bois bach, dwedodd Baloo.

– Pwerus iawn, dwedodd Dafydd.

– A mor rhamantus, cytunodd Sioned.

– A beth ddwedest ti? gofynnodd Joyce.

– Wedes i fod yn rhaid i fi fod yn gryf dros y ddau ohonon ni ac y bydden ni'n siŵr o ddod dros ein probleme, dwedodd John.

Allai John ddim cofio'r tro olaf iddo deimlo mor falch ohono'i hun. Am y tro cynta ers oesoedd teimlai ei fod yn rheoli'i fywyd.

– Anhygoel, dwedodd Bryn, gan edrych yn graff ar John. Roedd hwnnw'n wên o glust i glust ac wedi anghofio'n llwyr ei fod newydd ddweud celwydd noeth wrth ei ffrindiau.

Byddai Harri hefyd wedi amau stori John petai e yno, ond ar y pryd roedd Elin ar ei phengliniau o flaen Harri yn gwneud rhywbeth hollol wahanol i ofyn am faddeuant.

– Llongyfarchiadau, John, ond pam rwyt ti'n dal i wisgo dy

siwt ore? gofynnodd Bryn.

– O… wedi arfer gwneud hynny… fe wisga i ddillad gwahanol fory, dwedodd John yn gyflym gan sylweddoli y byddai'n rhaid iddo wisgo'i siwt orau i adael y tŷ, newid i'w ddillad bob dydd i fynd i'r Ganolfan bob bore, a newid yn ôl i'w siwt cyn mynd adref bob nos.

Roedd Nikkie yn falch o weld bod pawb yn gweithio'n brysur ar y cyfrifiaduron ac ar y teleffon, er na wyddai mai paratoi ar gyfer y daith i'r Amwythig oedden nhw mewn gwirionedd. Roedd John yn trefnu ymweliad ag amgueddfa'r Amwythig, a Joyce yn ei helfnu yn trefnu pryd o fwyd i bawb, tra bod Dafydd, Sioned a Baloo yn cynllunio poster i'w roi ar ochr y bws. Roedd Bryn wrthi'n cydlynu'r cyfan yn null golygydd papur newydd.

– John. Dw i ishe i ti i gysylltu â Swyddfa'r Met i holi am ragolygon y tywydd ar gyfer dydd Gwener.

– Joyce, ffonia bob bwyty yn yr Amwythig i chwilio am y lle rhata i fwyta. Am beth rwyt ti'n aros? Gwna fe nawr.

Erbyn diwedd bore dydd Iau roedd bron bopeth yn barod ar gyfer y diwrnod mawr. Serch hynny, teimlai Joyce braidd yn euog am nad oedd hi wedi sôn wrth Nikkie am y daith.

– Dw i'n credu falle mod i wedi dod o hyd i gitarydd i'r band, dwedodd Joyce wrth Nikkie y bore hwnnw.

– Pwy?

– Y mab, Graham. Fe bryna i gitâr iddo fe ac fe geith e ddysgu fel y'n ni'n mynd ymlaen. Bydd e'n ffordd o'i gadw fe mas o'r arcêd. Beth am gael ymarfer yr wythnos nesaf? awgrymodd Joyce.

– Sai'n siŵr. Gad i fi ganolbwyntio ar y cyfarfod 'ma fory gynta ac fe gawn ni drafod y syniad yr wythnos nesa, dwedodd Nikkie oedd yn hanner difaru addo yn ei meddwdod i chwarae mewn band unwaith eto.

– Reit, mae'n well i fi weld sut mae pawb yn dod ymlaen. Rhaid i fi ddweud, maen nhw i gyd 'di bod yn gweithio'n galed iawn ddoe a heddiw. Maen nhw'n haeddu diwrnod bant fory, chwarddodd Nikkie.

Chwarddodd Joyce hefyd, ond gan wingo'n dawel bach ar yr un pryd.

Cyrhaeddodd Harri'r ganolfan tua hanner dydd, ac aeth draw at Joyce. Roedd wedi cael siglad wrth ddarganfod bod Elin yn wraig i John. Wyddai e ddim beth i'w wneud. Yr unig berson y teimlai y gallai ymddiried ynddi oedd Joyce, a fu'n gefnogol iawn pan adawodd ei wraig e dair blynedd ynghynt.

– Alla i gael gair 'da ti yn nes ymlaen? Dw i angen dy gyngor di, dwedodd Harri.

– Wrth gwrs. Mae'n rhaid i fi fynd i siopa. Allwn ni gael sgwrs bryd hynny, awgrymodd Joyce.

Nodiodd Harri a gweld Nikkie yn agosáu.

– Dyw hyn ddim yn ddigon da, Harri, a dw i wedi dy rybuddio di o'r blaen. Rwyt ti wastad yn cyrraedd 'ma erbyn amser talu treulie'r teithio.

– Ond Nikkie, dw i wedi bod yn sâl...

– Rwtsh llwyr...

Stopiodd pawb i wrando ar Nikkie yn ceryddu Harri, wrth i Bryn gerdded yn dawel i ymuno â'r ddau.

– Fel tad y capel, alla i ofyn beth sy'n mynd ymlaen fan hyn?

– Mae'n flin 'da fi, Harri, ond mae'n rhaid i ti fynd, a bydd yn rhaid i fi ddweud wrth y Ganolfan Waith am dy ymddygiad di.

– Ry'ch chi'n ffaelu rhoi'r sac i fi, rwy'n ddi-waith!

– Gad hyn i fi, Harri, dwedodd Bryn.

– Alla i gael gair yn eich swyddfa, Nikkie?

Wedi cau drws y swyddfa, dwedodd Bryn wrthi, – Dim ond dau air sy 'da fi i ddweud wrthot ti, Nikkie. Slick Willard.

– Beth... sut yn y byd ro't ti'n gwbod...? Joyce ddwedodd wrthot ti?

– Joyce? Sut yn y byd fydde hi'n gwbod? Na. *Sunday Mirror*,

Mehefin 1986, dwedodd Bryn gan dynnu toriad o bapur newydd o'i boced. Fydda i byth yn anghofio stori dda, a fydda i byth yn taflu stori dda chwaith.

– Ond...

– Fe gest ti dipyn go lew o arian am y stori 'na os rwy'n cofio'n iawn, Nikkie.

– Ond ro'n i'n sgint. Roedd angen yr arian arna i i ddechre bywyd newydd.

– Paid â dweud gair arall, Nikkie. Ry'n ni i gyd o dan bwyse i gael arian o bryd i'w gilydd, hyd yn oed Harri... atebodd Bryn yn awgrymog.

Edrychodd Nikkie i fyw llygaid Bryn.

– Na... Dw i wedi penderfynu, Bryn...

– Dw i'n siŵr y bydd pob aelod yn ysu i gael clywed am dy orffennol di, a'r ffordd y llwyddest ti i ddinistrio bywyd Benny.

– Bobby, nid Benny! A wnes i ddim dinistrio'i fywyd e. Rhoddodd yr arian 'na gyfle i fi ddechre 'to.

– Wel, rho gyfle i Harri ddechre 'to...

Brathodd Nikkie ei gwefus cyn ateb. – O'r gore. Ond paid ti â dweud gair wrth Joyce mod i wedi cael arian am y stori. Ddwedes i wrthi am Slick, ond soniais i ddim am yr arian.

Winciodd Bryn a rhoi'r toriad papur newydd iddi.

– Gwell i ti losgi hwnna, dwedodd a cherdded o'r swyddfa.

– Harri. Mae Bryn wedi siarad yn frwd ar dy ran ac rwy'n fodlon rhoi un cyfle arall i ti, dwedodd Nikkie pan ddaeth i mewn i'r swyddfa.

– Diolch, Nikkie. Wna i ddim dy siomi di, dwedodd Harri gan gerdded at Baloo a geisiai ddal ei sylw yr ochr arall i'r ystafell.

– Alli di helpu fi i addurno'r bws, Harri? gofynnodd Baloo.

– Iawn, ocê. Ond o ble ry'n ni'n ca'l y bws? gofynnodd Harri.

– Ym. Mae ffrind yn dod ag e draw heno, atebodd Baloo.

– Faint o'r gloch?

– Tua saith. Ddweda i wrthot ti sut i gyrraedd y tŷ.

7

Pan gyrhaeddodd Joyce a Harri y siop gerdd, roedd y perchennog yn brysur wrth ei waith yn ceisio gwerthu nwyddau i fenyw nad oedd yn gwybod dim byd am gitarau.

– Felly, y 10–Z–20 sy ei angen arnoch chi, Madam, dwedodd wrth y fenyw a hithe'n edrych arno fel delw.

– Sai'n siŵr. Dwedodd y mab mai dim ond plectrwm oedd e angen.

– Ie... Ie... Ie. Ond mae'n rhaid i chi sylweddoli fod yn rhaid i'r plectrwm gyfateb i'r gitâr a'r amplifier.

– O, do'n i ddim yn sylweddoli hynny, dwedodd hithau.

– Yn bendant. Y 10–Z–20. Y gorau ar y farchnad. Mae'n cynnwys dau sglodyn ZM70 i gynhyrchu 50 Watt.

– O!

– Graded resonance hefyd.

– O!

– Wrth gwrs, bydd yn rhaid i chi gael tannau Halion i fynd gyda'r plectrwm Vittranti. Beth am bedal Wah Wah?

Cafodd Joyce a Harri gyfle i siarad a gwylio'r meistr wrth ei waith. Roedd Harri wedi bod yn ysu am gael dweud wrth rywun am Elin, gwraig John, ac fe ddwedodd bopeth wrth ei gyn-chwaer-yng-nghyfraith.

– O Harri! Beth wyt ti wedi neud? Pam na allet ti fod wedi dweud Na...?

– Do'n i ddim yn sylweddoli mai gwraig John oedd hi.

– Ond ro't ti'n sylweddoli ei bod hi'n wraig i rywun. Fe ddylet ti o bawb wybod hynny...

Gwgodd Harri.

– Sori, Harri. Do'n i ddim yn 'i feddwl e fel'na.

– Sut o't ti'n ei feddwl e, 'te? Ro'n i wedi cael llond bola ar feddwl am Teresa, ac yn meddwl os bydden i'n gwneud yr un peth i rywun arall efalle y bydden i'n teimlo'n well.

– Ac wyt ti?

– Wel… nac ydw, atebodd Harri gan ostwng ei ben. – Ond beth alla i neud nawr? gofynnodd.

– Benna fe, dwedodd Joyce.

– Ti'n iawn. Mae'n rhaid i fi fennu'r gwaith ar y pwll cyn gwneud dim byd arall…

– Na. Ddim y pwll, y berthynas.

– A beth am y pwll?

– Anghofia am y blydi pwll.

Cerddodd y cwsmer heibio yn cario amp, pedal Wah Wah a phlectrwm rhwng ei ddannedd, ac eiliad yn ddiweddarach roedd perchennog y siop yn sefyll wrth ysgwydd Joyce.

– Prynhawn da. Sut galla i helpu?

– Alla i weld y Fender Copy draw fanco, ac alla i 'i dreial e ar y ZD45 gyda'r Blue Speakers? gofynnodd Joyce.

– Wrth gwrs, atebodd y perchennog yn fflat, wrth sylweddoli na allai dwyllo Joyce.

8

Bu Baloo yn astudio gorsaf fysiau'r dre'n ofalus. Bob dydd ar ôl gadael y Ganolfan safai ger yr orsaf am oriau'n gwylio'r bysiau'n mynd a dod er mwyn dewis amser delfrydol i ddwyn un ohonynt. Yn hwyr brynhawn dydd Iau, ymunodd Baloo â theithwyr eraill oedd yn aros am fws yng nghanol y dre. Talodd am ei docyn a brysio at gefn y bws i eistedd yn dawel.

Wrth i'r bws wacáu suddodd Baloo yn is yn ei sedd, ac erbyn i'r bws gyrraedd yr orsaf ef oedd yr unig deithiwr ar ôl. Cuddiodd y tu ôl i'r sedd gefn lle na allai'r gyrrwr ei weld.

Wedi cyrraedd yr orsaf, cydiodd y gyrrwr yn y blwch arian, sicrhau bod y bws ar glo a cherdded at y swyddfa i gael hanner awr o hoe cyn ei siwrnai nesa. Arhosodd Baloo am funud a dechrau cropian ar ei bengliniau at flaen y bws ac i mewn i gaban y gyrrwr.

Ar ôl datgysylltu'r panel, clymodd ddwy wifren wrth ei gilydd a daeth y bws yn fyw. Mewn fflach eisteddodd Baloo yn sedd y gyrrwr a gyrru'r bws yn araf o'r orsaf heb i neb sylwi.

Aeth bron hanner awr heibio cyn i'r gyrrwr sylwi bod ei fws wedi diflannu. Erbyn hynny roedd Baloo wedi cyrraedd ei gartref ym Methania, ddeng milltir o Aberystwyth, ac wedi dechrau ailaddurno'r bws a'i drawsnewid i fod yn fws y Ganolfan Rhaglenni. Teimlai Baloo ar ben ei ddigon, ac wrth iddo ddechrau ar ei waith dechreuodd ganu... – Zippedee Dooh Dah Zippedee Deh my oh my what a wonderful day! Plenty of sunshine coming my way Zippedee Dooh Dah Zippedee Deh.

9

Synnodd Joyce wrth weld bod Graham yn chwarae'r gitâr mor fedrus. Roedd y ddau'n eistedd yn y gegin ac wedi treulio hanner awr yn ceisio cael hen amp Marshall Joyce i weithio. O'r diwedd, daeth yr amp a fu'n segur ers dyddiau'r Slyts yn 1979 yn fyw, a dechreuodd y ddau jamio.

– Sut rwyt ti'n gallu chwarae mor dda? gofynnodd Joyce.

Edrychodd Graham yn awdurdodol ar ei fam gan chwarae darn o 'Smells Like Teen Spirit' gan Nirvana.

– Mae 'da fy mêt, Brian, raglen tiwtor gitâr gyfrifiadurol ac mae e 'di bod yn rhoi gwersi i fi.

– Brian? Hwnna sy'n gweithio yn yr arcêd?

– Ie. Mae e 'di bod yn rhoi gwersi i fi bob dydd ar ôl iddo

orffen yn y gwaith. Dyna'r rheswm pam mod i yn yr arcêd drwy'r amser.

– Ond ro'n i'n meddwl...

– Dw i'n gwybod beth o't ti'n feddwl.

– Ond pam na wedest ti wrtha i?

– Fyddet ti mond yn prynu gitâr i fi pe byddet ti'n ofni mod i'n dechrau mynd i drwbwl.

Gyda hynny clywodd Joyce ddrws y ffrynt yn cau, a dechreuodd Graham chwarae 'Paranoid' gan Black Sabbath.

– Beth uffern yw'r sŵn 'na? holodd Tony wrth gerdded i mewn i'r gegin.

– Edrych beth mae Mam wedi'i brynu i fi, dwedodd Graham gan chwarae darn o 'Mother's Day' gan Blink 182.

Edrychodd Tony ar ei wraig.

– Faint gostiodd hwnna i ti? gofynnodd yn chwyrn.

Dechreuodd Graham chwarae 'Money' gan Pink Floyd.

– Fy arian i oedd e, dwedodd Joyce yn amddiffynnol. – Beth bynnag, os gwnaiff e gadw Graham o'r Arcêd bydd e'n werth bob ceiniog, dwedodd hi gan wincio'n slei ar ei mab.

Chwaraeodd Graham ddarn o 'Rock 'n' Roll Star' gan Oasis ac aeth Tony allan o'r ystafell heb yngan gair.

10

Gan ddilyn cyfarwyddiadau Baloo, gyrrodd Harri ei fan allan o'r dre ar hyd heolydd bychain y wlad am bron i ddeng milltir nes iddo gyrraedd lôn yn arwain o'r ffordd. Yn y pellter gwelai olau drwy'r tywyllwch, ac wedi gyrru 300 llath ar hyd lôn garegog cyrhaeddodd hen dŷ anghysbell a gweld Baloo yn sefyll o'i flaen.

– Dilyna fi, gwaeddodd Baloo.

Camodd Harri o'r fan a dilyn Baloo i'r sied fawr lle gwelodd fws. Roedd Baloo wedi stripio'r paent yn barod.

– Ble gest ti afael ar hwn, Baloo? gofynnodd Harri.

– Dw i wedi cael ei fenthyg gan ffrind am ddiwrnod neu ddau. Hen fws cwmni lleol yw e. Mae e'n moyn i fi ei ailbeintio.

– Gwell i ni ddechre pincio'r ledi 'ma 'te, dwedodd Harri gan gerdded yn ôl at ei fan i moyn paent.

Dechreuodd Baloo weithio dan ganu – Just whistle while you work, put on that grin and start right in, to whistle loud and long…

BALOO

1

Edrychodd Bryn ar ei wats. Hanner awr wedi naw. Roedd e
wedi cael bore prysur yn barod. Roedd e eisoes wedi ffarwelio â
Mike a Jean Edrich cyn iddyn nhw ddechrau ar eu taith i'r ŵyl
gerdd yn Rhaeadr, oedd i'w chynnal y penwythnos hwnnw.

Roedd Jean Edrich wedi cwblhau'r jobyn o waith roedd
Bryn wedi gofyn iddi ei wneud iddo. Ar ôl darllen y ddogfen
a gyflwynodd Jean iddo, gyrrodd Bryn yn syth i Swyddfa'r
Gorfforaeth i drosglwyddo'r deunydd i'r adran briodol. Ac yn
awr, hanner awr yn ddiweddarach, safai y tu allan i'r Swyddfa
Bost.

Wrth ei ochr safai Sioned, Dafydd, John a Joyce. Roedd
Joyce yn tisian i mewn i'w hances boced wrth i annwyd yr haf
ddechrau cydio.

Roedd pawb wedi gwisgo'n addas ar gyfer y daith, yn
gymysgedd o sbectolau haul, trowsusau byr a chrysau Hawaii.
Wrth gwrs, bu'n rhaid i John druan wisgo'i siwt orau i adael
ei gartref, cyn newid i ddillad mwy anffurfiol yn un o doiledau
cyhoeddus y dref.

Safai Dafydd a Sioned yn agos at ei gilydd, ac wrth iddo ef
sibrwd rhywbeth yn ei chlust cochodd hithau. Roedd yn amlwg
bod y sesiynau Tai Chi yn llwyddo'n dda, meddyliodd Bryn.

Roedd rhieni Sioned wedi dechrau ar eu taith i wlad Groeg y
noson cynt. Felly, roedd Sioned wedi bachu ar y cyfle i wahodd
Dafydd i dreulio'r pythefnos canlynol gyda hi yn nhŷ ei rhieni.
Wrth iddyn nhw aros am Baloo, syllai'r ddau yn ddwfn i lygaid ei
gilydd ac ni chymerodd yr un ohonynt unrhyw sylw o gwynion
Joyce a John.

– Ro'n i'n gwybod na ddylen ni fod wedi gadael i Baloo
drefnu'r bws, dwedodd Joyce.

– A ble mae Harri? gofynnodd John.

– O chwi o ychydig ffydd! Dw i'n siŵr eu bod nhw ar eu ffordd y funud hon, dwedodd Bryn gan edrych yn betrusgar ar ei wats.

2

Canodd y cloc larwm Mickey Mouse wrth wely Baloo, ac o giledrych arno gwelodd Baloo fod Mickey wedi ei groeshoelio. Sylweddolodd ei bod hi'n chwarter wedi naw a'i fod wedi anghofio gosod y larwm y noson cynt.

Gwisgodd yn gyflym a rhedeg i lawr y grisiau i ddihuno Harri a gysgai ar y soffa. Ysgydwodd Baloo gorff llonydd Harri.

– Na, Elin, dim nawr, dwedodd Harri'n gysglyd.

– Dihuna, Harri. Mae'n chwarter wedi naw! gwaeddodd Baloo.

Neidiodd Harri ar ei draed, ac ymhen dwy funud roedd y bws ar y ffordd i Aberystwyth gyda Baloo yn gyrru cyn gyflymed ag y gallai. Pan gyrhaeddon nhw gyrion y dre, penderfynodd Harri y dylai ddilyn cyngor Joyce.

– Tro fan hyn, dwedodd Harri wrth Baloo.

Ufuddhaodd Baloo, a gwyrodd y bws i'r chwith i gyfeiriad y Waun. Trwy ddilyn cyfarwyddiadau Harri daethant i stop gyferbyn â chartref John ac Elin Burton.

– Fydda i ddim yn hir, dwedodd Harri.

Gwyliodd Baloo ei ffrind yn cerdded at dŷ a menyw fel pe bai'n aros amdano ar stepen y drws yn ei gŵn nos. Credai Baloo ei bod yn edrych yn hynod o debyg i Cruella De Vil.

– The curl of her lips, the ice in her stare, all innocent children had better beware. She's like a spider waiting for the kill, Cruella, Cruella De Vil, canodd yn isel gan suddo yn ei sedd rhag ofn iddi ei weld.

Gwyliodd y ddau'n siarad am rai munudau. Yna dechreuodd

y fenyw chwifio'i breichiau fel melin wynt cyn diflannu i'r tŷ a dychwelyd gyda bag yn cynnwys offer adeiladu Harri. Taflodd y bag at Harri a diflannu i'r tŷ unwaith eto. Wrth i Harri blygu i godi'i fag, dychwelodd Cruella yn cario hanner bag o sment, a'i dywallt dros ei ben.

– Twll dy din di! Wna i orffen y pwll fy hunan... Ac rwy'n siŵr y bydd gan bobl y budd-dâl ddiddordeb yn dy hobls, gwaeddodd Elin wrth i Harri gerdded yn ôl at y bws.

– Trwbwl gyda'r wraig? gofynnodd Baloo gan danio injan y bws.

– Paid â gofyn, atebodd Harri.

Wrth i'r bws symud i ffwrdd daeth Peugeot 106 i'r golwg hanner can llath y tu ôl iddo a dechrau dilyn y bws.

3

Erbyn ugain munud i ddeg roedd aelodau'r Ganolfan wedi dechrau lladd ar Baloo a Harri. Roedd Bryn, hyd yn oed, wedi dechrau eu hamau, ond yn sydyn dechreuodd Sioned neidio i fyny ac i lawr.

– 'Co nhw, edrychwch.

Ar dop y stryd gwelsant fws wedi'i beintio'n las ac oren gyda'r geiriau 'Y Di-Waith ar Daith' wedi'u peintio ar ei ochr. Stopiodd y bws o flaen y Swyddfa Bost a gwenodd Baloo yn rhadlon wrth agor ei ffenest.

– Am beth ry'ch chi'n aros? Dewch i mewn, dwedodd gan wasgu botwm y drws.

Ni welodd neb y Peugeot 106 oedd wedi'i barcio hanner canllath i fyny'r stryd.

Dechreuodd y gyrrwr, Phil Hassock, gnoi afal cyn symud drych blaen y car i weld ei adlewyrchiad a dweud, – Drych drych ar y mur, pwy yw swyddog craffa'r sir?

Dechreuodd Baloo gyfarch pawb wrth iddyn nhw esgyn ar y bws.

– Sut wyt ti, Bryn?

Camodd Bryn i mewn i'r bws gan dynnu ar un o sigarennau gwyrthiol Edrich a gwenu'n siriol.

– Dopey, dwedodd Baloo wrtho'i hun.

Roedd Dafydd wedi dweud rhywbeth wrth Sioned ac roedd e'n chwerthin nawr a hithau'n cochi.

– Happy a Bashful, dwedodd Baloo.

Daeth Joyce ar y bws â'i phen yn ei hances boced.

– Sneezy, meddai Baloo.

Cerddodd John heibio iddo'n dawel gan feddwl am ffordd o esbonio i Elin pam y byddai'n cyrraedd adref mor hwyr heno.

– Grumpy, dwedodd Baloo. Trodd a gweld bod Harri bron â syrthio i gysgu yn sedd gefn y bws.

– Sleepy, dwedodd Baloo. Dopey, Happy, Bashful, Sneezy, Sleepy a Grumpy, ychwanegodd, cyn edrych i lawr ar ei sgidiau Dr Martens gan wenu – a Doc.

– Sgwn i ble mae Eira Wen? meddyliodd gan danio injan y bws. Taniodd Phillip Hassock injan y Peugeot 106 a dilyn y bws allan o'r dref.

Ar y pryd, roedd 'Eira Wen' yn teithio ar y trên 9.20 y bore o Aberystwyth i'r Amwythig. Clywodd lais dros yr uchelseinydd ym Machynlleth yn dweud y byddai'r trên yn gorfod aros am hanner awr cyn symud ymlaen oherwydd bod problem yn ymwneud â'r trac yng Nghaersws. Aeth Nikkie yn ôl i gysgu, yn teimlo'n hapus wrth gael diwrnod i ffwrdd oddi wrth bawb yn y Ganolfan.

4

Roedd pawb mewn hwyliau da wrth i'r bws deithio'n rhwydd ar yr A44 rhwng Aberystwyth a Llangurig, ac yna ymlaen i gyfeiriad y Drenewydd. Ymhen hanner awr roedd Bryn wedi ymlacio'n llwyr. Roedd mwg drwg Edrich a hanner potelaid o win coch wedi gwneud iddo deimlo'n hapus dros ben. Lleisiodd ei deimladau wrth John, a eisteddai wrth ei ochr.

–Dyma'r bywyd i mi, John. Gwin da, cwmni da a'r heol agored o'n blaenau. Beth arall sydd ei angen ar ddyn?

Cytunodd John heb lawer o arddeliad. Byth ers iddo benderfynu dweud celwydd, roedd wedi bod wrthi'n ddyfal bob nos yn meddwl am straeon difyr i'w hadrodd wrth aelodau'r Ganolfan am y trawsnewidiad yng nghymeriad ei wraig. Roedd hefyd yn treulio rhan helaeth o'r diwrnod yn meddwl am straeon difyr i'w hadrodd wrth Elin am ei waith yn gwerthu yswiriant.

Ar ôl dim ond dau ddiwrnod roedd y straen yn dechrau mynd yn ormod iddo, a'r hen iselder ysbryd yn dechrau dychwelyd. Roedd pob aelod o'r Ganolfan wedi bod mor garedig, ac yntau'n eu talu'n ôl trwy ddweud celwyddau wrthynt. Ond ni allai gyffesu neu fe fyddai'n colli'r unig beth oedd yn ei gadw'n gall, sef eu cyfeillgarwch.

Y noson cynt, dwedodd Elin wrtho y byddai'n trefnu barbeciw cyn gynted ag y byddai'r pwll yn yr ardd wedi'i gwblhau.

– Cyfle i ni ddathlu rhywbeth am unwaith. Galli di wahodd dy ffrindiau o'r gwaith os wyt ti eisiau, dwedodd yn sur wrtho heb ddangos unrhyw ddiffuantrwydd.

Dechreuodd John yfed mwy a mwy o win Bryn er mwyn ceisio anghofio am ei broblemau, am un diwrnod o leiaf.

Ym mhen blaen y bws siaradai Joyce gyda Baloo.

– Rwyt ti a Harri wedi gwneud gwaith gwych ar y bws 'ma. Sut gest ti ei fenthyg e?

– Contacts, atebodd Baloo yn bryderus gan edrych yn y drych ar res hir o draffig oedd yn ei ddilyn.

Heblaw am y Peugeot 106 oedd wedi dilyn y bws ers iddo adael Aberystwyth, roedd nifer o faniau a cherbydau eraill wrth gynffon y bws.

– Y'ch chi wedi sylwi ar y traffig y tu ôl i ni? gofynnodd Baloo.

Cerddodd Joyce at gefn y bws, heibio i Harri oedd wedi blino'n lân ar ôl gweithio drwy'r nos ac felly'n dal i gysgu'n drwm, heibio i John a Bryn, oedd yn siarad am griced, a heibio i Sioned a Dafydd oedd yn gorwedd ar sedd gefn y bws yn cusanu'n frwd. Edrychodd drwy'r ffenest gefn a gweld o leiaf ddwsin o garafannau, faniau a cherbydau o bob lliw a llun yn eu dilyn.

Wrth iddi sylweddoli bod y bws yn arafu, cerddodd Joyce yn ôl i'r tu blaen. Tua dau gan llath o'u blaenau, roedd dwsin o heddweision yn sefyll ger baricêd ar draws yr heol.

– O diar, dwedodd Bryn, a oedd erbyn hyn wedi ymuno â Joyce. Esboniodd fod gŵyl gerdd i'w chynnal y penwythnos hwnnw ger Rhaeadr Gwy.

– Mae'r glas, fel arfer, wedi penderfynu bod yn party poopers. Arse, dwedodd.

Wrth i'r bws agosáu at yr heddweision, dechreuodd Baloo feddwl am y sefyllfa. Oedd Heddlu'r Drenewydd yn gwybod bod y bws wedi ei ddwyn o orsaf Aberystwyth? Ai baricêd ar gyfer y bws, ac nid y bobl oedd yn mynd i'r ŵyl oedd hwn?

Dechreuodd wasgu'n galetach ar y sbardun.

– Baloo. Arafa damed bach, wnei di? awgrymodd Joyce.

Ond nid oedd Baloo'n gwrando. Meddyliai am beth ddigwyddai petai'n cael ei arestio am ddwyn y bws ac yn cael ei anfon i'r carchar neu i ysbyty'r meddwl.

– Baloo! Arafa plîs! gwichiodd Joyce.

– Baloo! Na! gwaeddodd Joyce wrth i'r bws gyrraedd cyflymdra o saith deg milltir yr awr.

Gwelodd Bryn bopeth yn arafu wrth i'r heddweision neidio o'r ffordd, ac wrth i'r bws chwalu'r baricêd o'i flaen.

– Ha ha. Bowled him. Goodnight Charlie, gwaeddodd Bryn gan chwifio'i botel o win yn yr awyr.

5

Bu Phil yn gwylio'r digwyddiadau hyn yn gegagored. Stopiodd ei gar wrth ochr yr heol gan wylio'r bysiau a'r cerbydau eraill yn gyrru trwy'r baricêd cyn i'r heddlu gael cyfle i'w hatal. Nid un i dorri'r gyfraith oedd Phillip Hassock BA, gwas ei mawrhydi. Gwyliodd y rhes o jalopis, siarabangs, faniau a cheir yn gyrru ymaith gyda phobl yn gweiddi pethau anweddus ar yr heddweision a oedd erbyn hyn yn dechrau codi oddi ar y llawr.

Gwelodd Phil rai o'r heddweision yn rhedeg at eu ceir er mwyn dilyn y confoi, ond erbyn iddyn nhw deithio hanner can llath gwyrodd dwy fan ola'r confoi ar draws yr heol i atal ceir yr heddlu. Gwyliodd Phil yr heddweision yn dod o'u ceir ac yn rhedeg at y faniau. Gwelodd y ddau yrrwr yn dod allan o'u faniau ac yn dechrau rhedeg i ffwrdd gan daflu allweddi'r faniau dros ben clawdd cyn iddyn nhw gael eu harestio. Sylwodd Phil mai un o'r gyrwyr oedd y dyn a fu'n byw yn ei fan ar dir Bryn Yale.

– Diddorol. Diddorol iawn, meddai.

Bum munud yn ddiweddarach roedd yr heol yn glir unwaith yn rhagor ar ôl i'r heddweision ddod o hyd i'r allweddi, ac roedd Mike Edrich a gyrrwr y fan arall wedi eu harestio a'u rhoi yng ngheir yr heddlu. Gyrrodd yr heddlu ar ôl y confoi – pawb ond dau heddwas. Cerddodd y ddau at gar Phil ac agorodd e y ffenest.

– Bore da, syr, dwedodd yr heddwas cyntaf.

– Bore da, syr, meddai'r ail heddwas.

– Allwch chi gamu o'ch car am eiliad? gofynnodd yr heddwas cyntaf.

– Dw i'n dilyn y bws a dorrodd drwy'r baricêd a dw i ddim eisiau colli gormod o amser, dwedodd Phil cyn i'r ail heddwas dorri ar ei draws.

– Ydych chi wir, syr?

– Dw i'n credu fod 'syr' braidd yn rhy awyddus i fynd ymlaen ar ei daith. Dw i'n credu fod gan 'syr' rywbeth i'w guddio. Dw i'n credu bod 'syr' yn chwarae'r double-bluff wrth stopio. Efallai fod 'syr' yn un o'r gwerthwyr cyffuriau 'ma…

– Na dw i ddim. Dw i'n gweithio i'r Gorfforaeth yng Ngeredigion, dwedodd Phil yn llawn balchder.

– Ond dy'ch chi ddim yng Ngheredigion rhagor… ry'ch chi ym Mhowys nawr… dwedodd yr ail heddwas. – Ble mae eich ID chi?

Teimlodd Phil yn ei boced a dangos cerdyn yn dweud mai archwiliwr budd-daliadau oedd e.

– Snŵpyr, dwedodd yr heddwas cyntaf.

– Amatur, ychwanegodd yr ail heddwas.

– Ein swyddogaeth ni yw archwilio pawb ry'n ni'n eu hamau o gario cyffuriau, dwedodd yr heddwas cyntaf yn sur.

– Yn drylwyr, ychwanegodd y llall. – Trowsus i lawr, syr.

6

Roedd dwy law Baloo yn cydio'n dynn yn y llyw wrth i'r bws agosáu at y Trallwng ar gyflymdra o hanner can milltir yr awr.

– Pam oedd rhaid i ti wneud rhywbeth mor dwp? gofynnodd Joyce.

– Bydden nhw wedi nghloi fi lan, atebodd Baloo, gan edrych yn syth o'i flaen.

– Ond pam bydden nhw'n gwneud hynny?

– Achos wnes i ddwyn Cinderella… y bws… o'r orsaf bysie neithiwr, esboniodd.

– Myn diain i. Ry'n ni i gyd yn Twokers! Stopia'r bws 'ma nawr, Baloo, gorchmynnodd Joyce, gan feddwl amdani hi ei hun yn gorfod esbonio i Tony, Graham a Diane y byddai'n gorfod mynd i'r llys am iddi fod yn rhan o achos o Gymryd Eiddo Heb Ganiatâd.

– Fe fyddwn ni yn yr Amwythig ymhen hanner awr. Sortiwn ni bopeth mas bryd hynny, awgrymodd Bryn. – Ta beth, does dim car heddlu yn ein dilyn ni, ychwanegodd wrth i'r bws agosáu at groesfan drenau.

7

Roedd Nikkie wedi ffonio'i harolygydd ar ei ffôn symudol i ddweud y byddai'n hwyr oherwydd bod y trên wedi gorfod oedi, ac erbyn hyn eisteddai'n gyfforddus yn ei sedd yn edrych ar dirwedd prydferth canolbarth Cymru yn gwibio heibio drwy'r ffenest. Roedd wedi llwyddo i anghofio'n llwyr am y Ganolfan.

Wrth i'r trên nesáu at groesffordd gwelodd fws yn aros i'r trên groesi, a phan basiodd y trên meddyliodd Nikkie ei bod hi wedi gweld Baloo, Bryn a Joyce yn y bws. Ysgydwodd ei phen a phenderfynu bod angen gwyliau arni os oedd hi'n dechrau gweld aelodau'r Ganolfan ymhob man roedd hi'n mynd.

Cyrhaeddodd yr Amwythig yn barod i wynebu'i harolygydd.

– Mae'n rhaid i ni geisio gwella'r ffigurau yma, meddai'r arolygydd; hynny yw, byddai'n rhaid i Nikkie wella'r ffigurau.

– Dim ond pum person gafodd waith o'r saith deg pum aelod diwethaf sydd wedi dod trwy ddrws y Ganolfan. Nid lloches oddi wrth y gwynt a'r glaw, neu hafan oddi wrth y gŵr neu'r wraig yw'r Ganolfan, Nikkie. Y syniad yw eu bod nhw'n chwilio am waith. Os nad ydyn nhw'n llwyddo i gael gwaith, yna dy'n nhw ddim yn ymdrechu'n ddigon caled, ac felly mae'n rhaid i chi ysgrifennu adroddiad ar gyfer y Swyddfa Waith i ddweud hynny. Mater i'r aelodau... y cyn-aelodau ...a'r Swyddfa Waith yw hi ar ôl i chi gael gwared ohonyn nhw.

– Hyd yn oed petawn i'n gwneud hynny, fe fydden nhw'n dal yn ddi-waith... dechreuodd Nikkie.

– Cywir, ond os gallwn ni brofi nad y'n nhw'n chwilio'n ddyfal am waith, fe allen ni ddileu eu budd-dâl.

– Rhyw fath o lanhau ethnig i'r di-waith? awgrymodd Nikkie yn sur.

– Efallai mai 'dethol naturiol' yw'r term mwya addas, Nikkie, dwedodd yr arolygydd wrth edrych allan drwy'r ffenest a throi'n ôl ati.

– Faint o aelodau newydd y'ch chi wedi'u cael yr wythnos hon?

– Saith.

– Faint ohonyn nhw sy'n wirioneddol yn chwilio am waith, Nikkie?

– Wel...

– Yn hollol.

– ... ond ry'ch chi'n gwybod yn iawn bod Ceredigion yn ardal echrydus o wael am swyddi. Does dim buddsoddiad yn yr ardal, ac mae'r swyddi sydd ar gael yn cynnig cyflog isel... dwedodd Nikkie cyn i'w harolygydd ymyrryd.

– Mae ardaloedd eraill yn yr un cwch, ond eich rhanbarth chi sydd ar waelod y tabl canlyniadau... ac mae hynny'n golygu bod fy ffigurau i'n isel iawn. Mae fy arolygydd innau'n pwyso arna i. Mae'r dirwasgiad wedi dechrau, Nikkie, ac mae'n rhaid i ni gael gwared â chynifer o'r di-waith â phosib oddi ar ein llyfrau cyn i'r dirwasgiad waethygu... a'm gwaith i yw dweud wrthoch chi beth i'w wneud. Eich gwaith chi yw ei wneud e. Er enghraifft, y saith aelod newydd 'ma. Mwy na thebyg eu bod nhw mewn rhyw dafarn yn gwastraffu eu JSA y funud hon... dwedodd yr arolygydd wrth i Nikkie osgoi ei lygaid ac edrych allan drwy'r ffenest y tu ôl iddo.

Eiliad yn ddiweddarach, roedd wyneb Joyce yn syllu arni o ochr arall y ffenest.

Edrychodd Nikkie yn gegagored wrth i Joyce bwyntio i gyfeiriad y fynedfa a chodi pum bys i ddynodi pum munud.

– Fe fydden ni'n gwneud cymwynas â nhw drwy stopio eu JSA, ychwanegodd yr arolygydd wrth i Nikkie sylwi ar Bryn, Baloo a John yn y ffenest yn gwneud yr un ystumiau â Joyce.

– Sawl un sydd wrthi'n gweithio ar eu CVs y funud hon, Nikkie?... Nikkie... y'ch chi'n iawn...? gofynnodd yr arolygydd wrth sylwi bod Nikkie wedi troi'n welw.

– Nadw... mae'n rhaid i fi fynd allan am awyr iach...

– Wel, rwy'n credu bod ein cyfarfod ni ar ben ta beth... gobeithio eich bod chi'n deall beth sydd angen ei wneud?

– O ydw... rwy'n gwybod yn iawn beth i'w wneud, atebodd Nikkie gan godi ar ei thraed.

Wrth iddi gerdded at ddrws y swyddfa, clywodd lais yr arolygydd yn galw ar ei hôl.

– Nikkie. Pam mae 'na fws wedi'i barcio tu allan gyda'r geiriau Canolfan Rhaglenni Aberystwyth – Y Di-waith ar Daith wedi'i ysgrifennu arno fe?

8

Eisteddai Baloo, Bryn, Joyce, Dafydd, Sioned, John, Harri a Nikkie o gwmpas y ford mewn caffi tawel yn un o strydoedd cefn yr Amwythig. Roedd hwyl Nikkie yn ddigon gwael wedi i'r gweddill gyfaddef eu bod nhw wedi trefnu'r trip y tu ôl i'w chefn, ond pan esboniodd Joyce fod y bws wedi torri trwy faricêd yr heddlu, dechreuodd Nikkie daranu ar Baloo.

Wrth iddi godi'i llais, suddodd Baloo yn ddyfnach i mewn i'w sedd.

– Dw i'n deall dy resymau dros ddwyn y bws, Baloo, ond bydd yn rhaid i ti fynd i orsaf yr heddlu.

Cytunodd Baloo a gostwng ei ben yn araf. Roedd Bryn ar fin dechrau siarad, ond torrodd Nikkie ar ei draws.

– Na, Bryn. Fydd hyd yn oed Mr Willard ddim yn newid fy meddwl y tro hwn. Mae'n rhaid i Baloo syrthio ar ei fai.

– Wel, sai wedi mwynhau fy hun gymaint ers tro byd, dwedodd John a oedd braidd yn feddw ar ôl yfed potelaid o win ar y bws.

– Dw i'n siŵr y gwnawn ni i gyd ein gorau glas i dy helpu di, Baloo, ychwanegodd.

– Da iawn ti, John, dwedodd Harri, oedd wedi dechrau twymo at John ar ôl y digwyddiad gydag Elin y bore hwnnw.

– Ie, mi fyddwn ni'n gefn i ti, Baloo, dwedodd Sioned a gafael yn llaw Dafydd.

Cododd Nikkie ei phen mewn rhwystredigaeth a dweud, – Mae'n ddigon rhwydd dweud hynny, ond y peth pwysica yw bod Baloo yn mynd i swyddfa'r heddlu cyn gynted â phosib.

– A' i gyda ti, Baloo, dwedodd Bryn.

– A fi hefyd, dwedodd Nikkie.

Roedd hi'n awyddus i sicrhau na fyddai unrhyw beth arall yn mynd o'i le. Edrychodd Baloo ar y wynebau llwm a dweud, – Peidiwch â gadael i hyn eich stopio chi rhag cael hwyl. Man a man i chi fynd i siopa... a gallwch chi brynu rhywbeth i fi o siop Disney, dwedodd gan godi i ymuno â Nikkie a Bryn.

– Mae'n well i bawb fod 'nôl wrth y bws mewn dwy awr. Dw i'n siŵr y bydd yn rhaid i ni ateb rhai o gwestiynau'r heddlu bryd hynny, dwedodd Bryn.

9

Gwingai Phil Hassock yn ei sedd wrth yrru i'r Amwythig, ac roedd wedi penderfynu cwyno am y driniaeth a gawsai gan yr heddweision unwaith y byddai'n cyrraedd y dre.

Wrth yrru i mewn i'r maes parcio, cododd ei galon o weld bod y bws yno. O leia gallai ddial ar Yale a Burton a Dafydd Gregory a dweud wrth yr heddlu ble roedd y bws. Parciodd y car a cherdded yn anesmwyth at y bws, gan gerdded o gwmpas y cerbyd ac edrych drwy'r ffenestri. Sylwodd fod y drws ar agor, felly cerddodd i mewn ac edrych o gwmpas i chwilio am gliwiau ynglŷn â ble roedd pawb yn gweithio.

Clywodd sŵn ceir yn teithio'n gyflym i mewn i'r maes parcio a phan edrychodd drwy ffenest gefn y bws gwelodd ddau gar yr heddlu'n sgrialu i stop a phedwar plismon yn rhedeg tuag ato.

– 'Co un ohonyn nhw fan hyn, Sarj, gwaeddodd un heddwas, yn Saesneg.

Suddodd calon Phil am yr eildro'r diwrnod hwnnw.

– Stedi nawr, Pal, dwedodd yr heddwas wrth iddo gamu ar y bws a chlosio'n araf at Phil.

– Does gen i ddim byd i wneud â'r peth – a cyn i chi ofyn, does gen i ddim cyffuriau wedi eu hwpo lan fy nhin chwaith, dwedodd Phil yn sur.

– Nawr pam byddech chi'n dweud hynny, syr? Yr hen double-bluff ife, syr, dwedodd yr heddwas.

– O! ebychodd Phil gan gau ei lygaid a bochau ei din ar yr un pryd.

10

Cerddodd Bryn, Nikkie a Baloo i'r maes parcio i moyn bag Baloo o'r bws cyn iddyn nhw fynd i orsaf yr heddlu.

– Fyddwch chi'n cadw mewn cysylltiad â fi? gofynnodd

Baloo yn betrusgar.

– Wrth gwrs y byddwn ni. Paid â phoeni, wnân nhw ddim rhoi cosb hallt i ti gan mai hon yw dy drosedd gyntaf, dwedodd Bryn.

Bu tawelwch rhwng y tri cyn i Baloo siarad, – Man a man i fi ddweud wrthoch chi. Nid hwn yw'r tro cynta i fi ddwyn bws.

– Gad i fi ddyfalu… dy daith o Baton Rouge i New Orleans? awgrymodd Nikkie.

Nodiodd Baloo a dweud, – Ond ges i mo 'nal bryd hynny, ac esboniodd am y tro y bu ger bron llys Aberystwyth am ddwyn y bws oedd yn teithio rhwng Aberystwyth ac Aberteifi. – Dwedon nhw bryd hynny y byddwn i'n gorfod mynd i'r jêl 'sen i'n 'i wneud e unwaith 'to.

– Pam wnes ti fe 'te? gofynnodd Nikkie .

– Sai'n gwybod. Ro'n i'n meddwl cymryd y bws, ei beintio, a mynd â fe'n ôl heno, a fyddai neb damed callach. Ei fenthyg e, nid ei ddwyn e, ro'n i.

– Paid â phoeni. Mae gen i blydi gwd cyfreithiwr, dwedodd Bryn wrth iddyn nhw gerdded i mewn i'r maes parcio.

Ar yr un pryd roedd Phil wrthi'n codi'i drowsus ar ôl bod yn helpu'r heddlu gyda'u hymchwiliadau.

– Ddwedais i fod dim byd yna, gwaeddodd Phil yn groch.

Cerddodd Bryn, Nikkie a Baloo at y bws.

– Dyna nhw! Fanna, gwaeddodd Phil ar yr heddweision.

Gwelodd Baloo bedwar heddwas yn rhedeg tuag ato ac yn reddfol rhedodd yntau i ffwrdd gan adael Bryn a Nikkie i'w hwynebu.

– Baloo. Na, dere'n ôl! gwaeddodd Nikkie gan ddechrau rhedeg ar ei ôl.

Yn y cyfamser, taflodd Bryn ei hun ar y pedwar heddwas i geisio helpu Baloo i ddianc. Wedi'r cyfan, meddyliodd, doedd dim llawer o obaith y câi gerdded yn rhydd o'r llys ar ôl dwyn bws ddwywaith.

Llwyddodd y ddau heddwas i dynnu Bryn i'r llawr, a thaclwyd Nikkie gan ddau heddwas arall.

– Gad i fi fynd, y ffŵl, gwaeddodd Nikkie gan ddechrau pwnio'r heddwas dros ei ben â'i bag a chicio un arall.

Closiodd Phil at y ddau heddwas oedd yn dal Bryn.

– Esgusodwch fi, rwy'n nabod rhywun sy'n cadw cyffuriau mewn man cudd, dwedodd â gwên faleisus ar ei wyneb.

11

Rhedodd Baloo nerth ei draed i ganol y dre, gydag un heddwas a lwyddodd i ddianc o grafangau Bryn yn dynn wrth ei sodlau. Arafwyd hwnnw gan fam yn gwthio pram dwbwl, ac erbyn i'r heddwas dderbyn dyrnod neu ddau gan y fam am ddihuno'i phlant annwyl, roedd Baloo wedi diflannu unwaith eto.

Wrth i Baloo droi'r gornel, gwelodd olwynion beic o'i flaen, a heb edrych neidiodd ar y sedd. Ond cyn iddo gael cyfle i bedlo i ffwrdd, teimlodd rywbeth yn taro'i gefn.

Edrychodd i fyny a gweld dyn yn sefyll ar ben ysgol yn rhoi past ar wal er mwyn gosod poster arni, ac roedd y dyn yn defnyddio'r polyn gyda'r past arno i geisio gwthio Baloo oddi ar y beic. Methodd, a llwyddodd Baloo i seiclo i ffwrdd.

– Polîs! Polîs! Mae rhywun wedi dwyn fy meic! gwaeddodd y dyn.

Ar ôl seiclo ar y pafin, a cheisio gwau rhwng y siopwyr, denwyd sylw Baloo gan rywbeth o'i flaen a stopiodd yn stond. Gwelodd y sinema gyda'i ddrysau ar agor a hysbysebion ar gyfer y ffilm Disney, *Bambi*, a oedd yn ymddangos yn sinema'r Amwythig yr wythnos honno i ddiddanu plant yn ystod gwyliau'r haf.

Fel petai wedi ei swyno, gadawodd Baloo y beic ar y palmant a cherdded i mewn i'r sinema. Talodd am ei docyn ac eistedd i wylio'r ffilm gyda'r past posteri'n blastar drosto. Plygodd ymlaen yn ei sedd ac anghofio am ei holl broblemau.

Y tu ôl i Baloo eisteddai grŵp o blant, a'r rheiny wedi hen ddiflasu ar wylio'r ffilm ac wedi penderfynu taflu darnau o'u popcorn at Baloo i weld a allen nhw fwrw ei glust chwith. Er mai methu wnaethon nhw, glynodd peth o'r popcorn i'r past ar got Baloo, nes ei fod erbyn hyn yn edrych fel Bambi ei hun.

Cyrhaeddodd yr heddlu a gweld y beic y tu allan i'r sinema, ac wrth i Baloo wylio'r olygfa yn y ffilm pan mae Bambi'n cael ei amgylchynu gan yr helwyr, closiodd yr heddweision yn araf ato o bob cyfeiriad.

Yn sydyn cofleidiwyd Baloo gan dri heddwas a gwaeddodd plentyn, yn Saesneg,

– Oi... chi'n ffaelu arestio Bambi!

Neidiodd y plentyn ar ben un o'r heddweision gyda thua dwsin o blant eraill yn ei ddilyn.

Er gwaethaf y King Cones yn eu hwynebau, a'r darnau popcorn yn eu ffroenau, llwyddodd yr heddlu o'r diwedd i arestio Baloo a'i gario o'r sinema.

12

Roedd gyrfa ddisglair yn yr heddlu o flaen PC Huw Oliver. Roedd ganddo radd mewn Hanes, ac ers iddo ymuno â'r heddlu flwyddyn ynghynt gwnaeth enw iddo'i hun fel heddwas fyddai'n arestio pobl am y peth lleiaf. Yn awr roedd ganddo gyfle i holi tri o'r bobl oedd wedi gyrru trwy'r baricêd mewn bws oedd wedi cael ei ddwyn.

Roedd heddwas arall yn holi John a Sioned, ac roedd Bryn, Baloo a Nikkie eisoes wedi cael eu cludo i orsaf yr heddlu i ateb rhagor o gwestiynau.

Trodd PC Oliver at Dafydd yn gyntaf.

– Enw? gofynnodd gyda'i lyfr nodiadau yn barod yn ei law.

– Fyodor Dostoyevsky, dwedodd Dafydd yn sur. Roedd yn benderfynol o beidio dweud gair wrth yr heddlu.

– Doniol iawn, meddai PC Oliver. – Ond mae'n rhaid i fi rybuddio'r tri ohonoch chi eich bod chi mewn tipyn o drafferth yn barod.

Symudodd ymlaen at Harri. – Enw? gofynnodd PC Oliver.

– Harri, atebodd Harri.

– Enw llawn?

– Harri, sori… Henry Gibson.

– Henrik Ibsen. Dw i'n dechrau colli amynedd fan hyn. Felly mae gen i Fyodor Dostoyevsky a Henrik Ibsen…

Trodd at Joyce.

– Mae'n rhaid i fi eich rhybuddio chi. Os gwrthodwch roi eich enw cywir i fi, bydd yn rhaid i fi arestio'r cwbwl lot ohonoch chi. Felly, eich cyfenw?

– James.

– A'r enw cynta?

– Joyce, atebodd Joyce yn ddidwyll.

– Reit. Dw i'n arestio'r tri ohonoch chi am wrthod helpu'r heddlu gyda'u hymholiadau.

Ac felly ymunodd Fyodor Dostoyevsky, Henrik Ibsen a James Joyce â Bryn, Baloo a Nikkie yng ngorsaf yr heddlu.

13

Eisteddai Baloo gyferbyn â dau dditectif yn un o stafelloedd holi Swyddfa'r Heddlu yn yr Amwythig. Ym marn Baloo, edrychai wynebau'r ddau yn syndod o debyg i'r ddwy chwaer hyll yn y ffilm Cinderella. Gwasgodd un o'i ddynion fotwm ar recordydd tâp.

– Fy enw i yw DS Paul Rogers a dyma DC Owen Lucas. Ry'n ni'n cynnal cyfweliad gyda Mr Richard 'Baloo' Williams ar ddydd Gwener 7fed o Awst 2009. Yr amser yw 18.12... Nawr 'te Mr Williams, i ddechrau, allwch chi ddweud pam wnaethoch chi ddwyn bws o orsaf Arriva yn Aberystwyth ar ddydd Iau 6ed Awst 2009?

Edrychodd Baloo'n daer ar y ddwy chwaer hyll cyn esbonio pam roedd angen iddo ddwyn y bws a'i drawsnewid i fod yn goets hardd. Penderfynodd ddyfynnu geiriau'r ddewines garedig o'r ffilm *Cinderella*.

– Sala-gadoola-menchika-boo-la, Bibbidi-bobbidi boo, rhowch nhw 'da'i gilydd a be sy 'da chi, ond Bibbidi-bobbidi-be. Sala-gadoola-menchika-boo-la bibbidi-bobbidi-be, wnaiff eich hudo credwch chi fyth, bibbidi-bobbidi-be. Nawr sala gadoola yw menchika booleroo ond y thingami bob sy'n gwneud y job yw bibbidi-bobbidi-be.

Edrychodd y ddau dditectif ar ei gilydd. Yna pwysodd DS Paul Rogers draw at DC Owen Lucas a sibrwd yn ei glust.

– Cer i nôl seiciatrydd, wnei di Owen...

14

Bythefnos yn ddiweddarach eisteddai Bryn, Nikkie, Dafydd a Mike Edrich mewn rhes yng nghefn llys y Trallwng yn aros am yr ustusiaid. Roedd yn rhaid i Bryn a Nikkie ymddangos o flaen eu gwell wedi eu cyhuddo o geisio atal yr heddlu rhag dal Baloo.

Cyhuddwyd Dafydd o wrthod helpu'r heddlu gyda'u hymholiadau trwy beidio â rhoi ei enw cywir i PC Oliver, ac roedd Mike Edrich yn cael ei gyhuddo o flocio'r heol â'i fan i alluogi bws aelodau'r Ganolfan i ddianc o grafangau'r heddlu.

Eisteddai Dafydd yno'n wên o glust i glust, oherwydd bu'n treulio pythefnos hapusaf ei fywyd yn aros gyda Sioned yn nhŷ ei rhieni tra bod Iwan ac Irene ar eu gwyliau yng ngwlad

Groeg. Bu'r arbrawf i weld a allai'r ddau gyd-fyw yn hapus yn un llwyddiannus iawn, ac roeddynt wedi penderfynu chwilio am fflat gyda'i gilydd.

Gwgai Nikkie oherwydd byddai'n rhaid iddi esbonio'i hymddygiad i'r uwch-arolygydd yn syth ar ôl yr achos.

Roedd Bryn hefyd yn anhapus oherwydd bod Mike a Jean Edrich wedi dweud wrtho'r bore hwnnw y byddai'r ddau'n gadael am y brotest wrth-gyfalafol ym Manceinion ymhen tridiau.

– A beth wnewch chi wedyn? gofynnodd Bryn.

– Ar ôl y brotest fe ewn ni'n ôl i Ewrop. Fe gei di damed bach o dawelwch o'r diwedd. Ond ro'n i'n meddwl y byddai'n well i fi ddod i'r llys. So' ni'n moyn dim trafferth gyda'r heddlu yn ceisio'n hatal ni rhag gadael y wlad, atebodd Mike.

Dechreuodd olwynion y system gyfiawnder troseddol droi wrth i Bryn gael ei alw i'r doc. Wedi i Wasanaeth Erlyn y Goron adrodd hanes ei ran yn y daith drychinebus i'r Amwythig, plediodd Bryn yn euog i'r cyhuddiad o ymosod ar heddwas, a chododd ei gyfreithiwr, Benny Tudor, ar ei draed i geisio perswadio'r ustusiaid i liniaru'r gosb.

Roedd Bryn wedi mynnu talu am gymorth cyfreithiol i bawb oherwydd ei fod yn teimlo'n rhannol cyfrifol am y daith i'r Amwythig.

– Mae'r boi yn gyfreithiwr shit hot. Dw i'n ei nabod e ers y saithdegau a chawn ni ddim gwell cyfreithiwr i'n hamddiffyn ni.

Benny oedd wedi cynrychioli Bryn yn achos ei ysgariad oddi wrth ei ail wraig bum mlynedd ynghynt, ac er i Bryn golli'r rhan fwya o'i eiddo yn yr achos hwnnw, llwyddodd Benny i arbed y teclyn bowlio, y garafán a phum mil o bunnoedd.

Roedd Benny yn ddyn tal, tenau gyda barf fel un Van Eyck. Cododd ar ei draed a dechrau siarad.

– Mae'n wir fod Mr Yale yn euog o drosedd... ond nid y

drosedd o ymosod ar heddwas. Yr unig drosedd mae Mr Yale yn euog ohoni yw'r drosedd o fod yn ddi-waith. Yeah. Di-waith, dwedodd Benny gan gerdded yn ôl ac ymlaen o flaen yr ustusiaid.

– Dw i'n mynd i ddweud stori wrthoch chi. Yeah, chi, ychwanegodd gan edrych yn daer at yr ustusiaid. – Pan o'n i'n fachgen, fe brynodd fy mam gi bach i fi oherwydd roedd hi am i fi ddysgu am gyfrifoldeb. Yeah, cyfrifoldeb. Ro'n i'n bwydo'r ci bach. Ro'n i'n mynd ag e am dro dair gwaith bob dydd. Ro'n i'n caru'r ci bach.

Erbyn hyn, roedd Bryn yn dyheu am i'r ddaear agor a'i lyncu, neu'n well fyth lyncu Benny Tudor. Roedd yr ustusiaid yn dechrau anesmwytho, gyda'r Prif Ynad yn ystyried gofyn i'r Clerc a oedd ganddo hawl i arestio'r cyfreithiwr hwn am wastraffu amser y llys, neu hyd yn oed am ryw drosedd o dan y Ddeddf Iechyd Meddwl.

– Ond, un diwrnod, fe anghofiais i glymu'r ci bach. Roedd hi'n ddiwrnod poeth ac roedd gweithwyr yn gosod tarmac ar yr hewl. Rhedodd y ci bach o flaen lorri. Gwyrodd y lorri ar draws yr hewl i geisio osgoi'r ci bach, a lladd Miss Huws, hen ferch oedd yn cerdded i weld ei brawd yn gorwedd ar ei wely angau yn yr ysbyty lleol. Yeah. Ysbyty lleol.

– Pan gyrhaeddais adref fe roddais i chwip din i'r ci bach... ond nid ei fai ef oedd e... Na... fy mai i oedd e... oherwydd fy nghyfrifoldeb i oedd y ci bach. Yeah. Cyfrifoldeb.

– Pwy oedd ar fai? Fi neu'r ci bach? Edrychwch ar Mr Yale... onid yw hi'n wir i ddweud mai ci bach y gymdeithas yw e? Yeah. Cymdeithas, dwedodd Benny ac eistedd yn ei sedd. Roedd y llys yn hollol dawel heblaw am ambell un yn chwythu'i drwyn i mewn i'w hances boced. Edrychai pawb yn syn ar Benny.

Yna cododd Benny ar ei draed unwaith eto.

– Ond mae pob ci bach yn cael ei ddydd, ac fe ddylai'r gosb

gyfateb i'r drosedd. Chwilio am waith roedd Mr Yale. Roedd e wedi penderfynu teithio i'r Amwythig i chwilio am waith yn Lloegr oherwydd prinder swyddi yng nghefn gwlad Cymru. Yeah. Cefn gwlad Cymru. Roedd Mr Yale yn flin oherwydd bod ei gyfle i chwilio am waith wedi diflannu gan fod rhyw wallgofddyn wedi mynnu gyrru'r bws trwy flocêd yr heddlu. Yeah. Yr heddlu. Ydyn ni wir am gosbi Mr Yale am y fath frwdfrydedd? Cosbi? Nah.

Ar ddiwedd ei araith, eisteddodd Benny'n llipa yn ei gadair gan sychu'i dalcen gyda hances boced.

Gadawodd yr ustusiaid y llys, yna dychwelyd deng munud yn ddiweddarach a dyfarnu bod Bryn i dderbyn rhyddhad amodol – yn bennaf oherwydd fod y tri ustus yn berchen ar Chihuahua, Affenpinscher, dau Bichon Frise a Basenji rhyngddyn nhw.

Roedd Benny wedi llwyddo, a winciodd yn gellweirus ar Bryn wrth i Mike gael ei alw i'r doc. Unwaith eto disgrifiwyd trosedd Mike gan swyddog Gwasanaeth Erlyn y Goron, sef ei fod wedi blocio'r heol gyda'i fan i atal yr heddlu rhag dilyn y bws. Plediodd Mike yn euog, a chododd Benny ar ei draed unwaith eto a dechrau ar ei araith.

– Mae'n wir fod Mr Edrich yn euog o drosedd... y drosedd o fod yn ddi-waith. Yeah. Di-waith, dwedodd gan gerdded yn ôl ac ymlaen o flaen yr ustusiaid.

– Dw i'n mynd i ddweud stori wrthoch chi. Yeah, chi, ychwanegodd gan edrych yn daer at yr ustusiaid. Pan o'n i'n fachgen fe brynodd fy mam gi bach i fi oherwydd... ac ailadroddodd Benny yr un araith, gyda newidiadau fan hyn a fan draw i esbonio mai nod Mike oedd gweld aelodau'r Ganolfan Rhaglenni yn cyrraedd yr Amwythig i chwilio am waith, a'i fod wedi'i aberthu ei hun ar eu rhan. Y tro hwn, cafwyd llai o oddefgarwch gan yr ustusiaid, a gorchmynnwyd Mike i dalu dirwy o £150.

Ond aeth pethau o ddrwg i waeth pan alwyd Nikkie i'r doc. Unwaith eto, adroddodd Benny ei araith am y ci bach a dweud bod Nikkie wedi cicio'r heddweision er mwyn ceisio amddiffyn y bobl fregus oedd o dan ei hadain. Gorchmynnwyd Nikkie i dalu dirwy o £400 a gwneud chwe deg awr o waith cymunedol. Erbyn hyn, roedd dylanwad y Chihuahua, yr Affenpinscher, y ddau Bichon Frise a'r Basenji i dynnu ar linynnau calonnau'r tri ustus wedi pylu.

Felly, pan aeth Dafydd i'r doc, torrodd ar draws Benny wrth iddo ddechrau ar ei araith a dweud...

– Does gen i ddim byd i'w ddweud... dim ond, Sori.

Gorfodwyd ef i dalu dirwy o £50 am wastraffu amser yr heddlu.

15

Y gwir amdani oedd bod effaith yr holl LSD roedd Benny wedi'i gymryd yn ystod y chwedegau a'r saithdegau wedi dechrau effeithio ar ei ymennydd trwy wneud iddo anghofio am bethau oedd newydd ddigwydd, a thaerai nad oedd wedi ailadrodd yr un stori dair gwaith.

– Tair gwaith? gofynnodd Benny.

– Yeah. Tair gwaith, bloeddiodd Bryn.

– Beth alla i ddweud. Yeah. Dweud. Dw i'n addo gweithio ar araith newydd sbon ar gyfer achos dy ffrind... Baboon.

– Baloo yw ei enw. Beth bynnag, paid â thrafferthu.

– Ry'n ni'n nabod ein gilydd ers 35 mlynedd... Plîs, Brian.

– Bryn.

– Ie. Bryn. Plîs, Brian, rho gyfle arall i fi, plediodd Benny. – Dim ond un person fydd gen i i'w gynrychioli bryd hynny, ac fe wna i e am ddim. Yeah. Am ddim, sibrydodd yng nghlust ei hen ffrind.

— Siarada i gyda Baloo a chysylltu â ti, meddai Bryn cyn i Benny sleifio i ffwrdd i ddal trên yn ôl i Lundain.

16

Roedd Baloo wedi bod ger bron Llys Ynadon y Trallwng ddeng niwrnod cyn achos llys y gweddill. Gorchmynnwyd ef i aros yn ysbyty meddwl Bro Henllys ger Machynlleth am o leiaf ddeufis cyn mynd o flaen ei well unwaith eto.

Y diwrnod ar ôl cyflafan Benny Tudor, gyrrodd Bryn ei Citroën 2CV i fyny rhiw hir i gyfeiriad yr hen blasty ym Mhenegoes. Wedi parcio'r car ger y brif fynedfa, darllenodd yr arwydd o flaen yr adeilad – Bro Henllys. Uned Seiciatryddol.

Cyn gynted ag y cerddodd drwy'r drws, croesawyd ef gan ddyn ifanc yn gwisgo cot wen. Estynnodd ei law i Bryn.

— Helô, Doctor Williams ydw i. Alla i'ch helpu chi?

Esboniodd Bryn fod ei ffrind, Baloo, yn rhan o'r uned dros dro tra oedd yn aros am ei achos yn y llys.

— Baloo? A! Richard, dwedodd y doctor gan wenu. – Ie, mae e'n achos diddorol. Mae ei obsesiwn hefo bysiau yn lleihau'n barod. Ry'n ni'n annog y cleifion i wynebu eu problemau, ac yna, yn araf, yn ceisio eu denu at faes arall sy'n llai peryglus. Wrth gwrs… dechreuodd y doctor ychwanegu, ond cyn iddo gael cyfle i wneud hynny rhedodd tri dyn ato a'i daclo. Yn dynn wrth eu sodlau roedd dyn arall a wisgai got wen.

— Gadewch i fi fod, y ffyliaid! gwaeddodd Doctor Williams.

Cyn iddo gael cyfle i weiddi rhagor, rhoddwyd chwistrelliad o gyffur iddo yn ei fraich a gorweddodd yn llipa ym mreichiau'r dynion. Cyflwynodd y dyn a wisgai'r got wen ei hun i Bryn.

— Helô. Doctor Williams ydw i. Alla i'ch helpu chi?

Esboniodd Bryn am Baloo unwaith eto cyn gofyn, – Pwy oedd y dyn yna yn y got wen?

– Fi. Wel, rhywun sydd dan yr argraff mai fe yw Doctor Williams. Dyn galluog iawn, ond yn hollol wallgof.

– Chi neu fe? gofynnodd Bryn.

Gwenodd Doctor Williams yn gam, ac esbonio bod yr uned wedi'i sefydlu i ganolbwyntio ar achosion difrifol ymhlith pobl oedd yn dioddef o ffantasïau ac obsesiynau. Roedd Bwrdd Iechyd Powys wedi ennill cytundeb i sefydlu uned o'r fath yn ardal Machynlleth.

– Mae pobl yn dod yma o bob cwr o Brydain, dwedodd Doctor Williams. – Mae achos eich ffrind yn un eithaf diddorol. Mae ei obsesiwn efo bysiau yn lleihau'n ddyddiol. Ry'n ni'n annog y cleifion… dechreuodd Dr Williams.

–… i wynebu eu problemau, a cheisio eu denu at faes arall sy'n llai peryglus? cynigiodd Bryn.

Edrychodd y meddyg yn syn ar Bryn cyn dweud, – Da iawn. Mae eich gwybodaeth o seicoleg yn ardderchog.

Gwenodd Bryn. – Ta beth, sut mae'r hen Baloo? gofynnodd.

– Na, na, na, Mr Yale. Mae'n rhaid i Richard wynebu ei hunaniaeth. Mae'r sefyllfa'n ddelicet iawn ar hyn o bryd. Bydden i'n ddiolchgar dros ben petaech chi ddim yn sôn am gymeriadau Walt Disney na bysiau pan welwch chi e. Y broblem yw bod ganddo ddau obsesiwn. Dilynwch fi. Mae e yn yr ystafell hamdden.

Yno gwelodd Bryn ddau berson yn chwarae gwyddbwyll.

– Bore da, meddai Bryn wrth gerdded heibio'r ddau. Yna arhosodd i wylio'r gêm.

– Hmmm… e5 i g7 rwy'n credu, awgrymodd Bryn.

Ni chymerodd yr un o'r ddau sylw o Bryn, ond cododd un chwaraewr ei frenhines yn araf a'i thaflu at ben y llall. Cydiodd hwnnw yn ei frenin a'i daflu at ei wrthwynebydd.

– Symudiad campus. Nice move. Clyfar iawn, dwedodd Bryn

wrth i'r meddyg gydio yn ei fraich a'i arwain oddi yno.

– Dim ond newydd ddechrau ar eu triniaeth mae'r ddau yna, dwedodd y meddyg.

Sylwodd Bryn fod Baloo wedi ei weld, a'i fod yn chwifio'i freichiau ym mhen pella'r ystafell.

– A, Baloo. A sut mae hen fandit y bysie? gwaeddodd Bryn gan adael y meddyg yn gwingo yng nghanol yr ystafell.

17

– Beth fydd yn digwydd nesaf? gofynnodd Baloo wrth i'r ddau gerdded o amgylch gardd Bro Henllys.

– Fe fydd yr achos llys ar 7 Hydref. Sori, ond bydd yn rhaid i ti aros yma am o leia fis a hanner arall, atebodd Bryn.

– A dweud y gwir, mae'n reit gyfforddus 'ma. Mae pawb yn neis iawn, dwedodd Baloo cyn stopio ac edrych i fyw llygaid Bryn. – Maen nhw'n mynd i ngorfodi fi i aros fan hyn neu fy anfon i'r carchar, on'd y'n nhw, Bryn?

– Na, fe wna i'n siŵr dy fod ti'n cael dy ollwng yn rhydd, atebodd Bryn yn gelwyddog.

– Efalle fod yn well gen i fyd Disney na bywyd go iawn, dwedodd Baloo. – Mae'n fyd llawer mwy teg… Ond does dim obsesiwn am fysie gen i. Y rheswm pam wnes i ddwyn y bws yn Llanarth oedd i yrru'r bws i Dover a dal cwch draw i Ffrainc i fi gael mynd i EuroDisney. A'r rheswm pam wnes i ddwyn y bws o'r orsaf oedd i helpu pawb yn y Ganolfan. Am y tro cynta ers i fi adael y Llynges mae pobl wedi fy nerbyn i fel rwy i a heb fy nhrin i fel nyter, dwedodd Baloo, gyda'r dagrau'n cronni yn ei lygaid.

– Dw i'n deall, Baloo bach, dwedodd Bryn gan dynnu ffôn symudol o'l boced yn gyfrin. – 'Co anrheg i ti. Dw i'n gwybod dy fod ti'n unig fan hyn, felly fe alli di fy ffonio i unrhyw bryd os wyt ti'n moyn sgwrs, dwedodd gan drosglwyddo'r ffôn iddo.

– Achos, a bod yn onest 'da ti, sai'n credu y byddi di'n mynd i Ffrainc am sbel, Baloo.

– O leia gall Charlie ddweud wrtha i am y lle, dwedodd Baloo.

– Charlie?

– Bonnie Prince Charlie, esboniodd Baloo gan bwyntio at ddyn mewn cilt a eisteddai ar fainc yn yr ardd flodau. – Roedd e'n gweithio fel bildar pan adeiladwyd EuroDisney ar ddechre'r nawdege, ond roedd yn rhaid iddo fe ddod 'nôl i Brydain.

– Pam? gofynnodd Bryn.

– I geisio cipio coron Lloegr yn ôl i'r Alban, wrth gwrs, atebodd Baloo gan edrych yn syn ar ei ffrind.

– A pwy yw'r boi sy'n eistedd wrth ei ymyl?

– Dere draw ac mi gyflwyna i nhw i ti, dwedodd Baloo.

Cerddodd y ddau draw at y fainc. Wrth ochr Charlie eisteddai dyn cyhyrog gyda barf ysblennydd.

– Dyma Owain. Owain Glyndŵr, dwedodd Baloo.

Roedd Owain yn dal sigarét heb ei chynnau yn ei law.

– Oes tân 'da chi? gofynnodd Owain.

– Nac oes. Mae'n flin 'da fi, atebodd Bryn.

– Damo. Roedd digon o dân pan o'n i yn Rhuthun... a nawr do's bygyr ôl ar ga'l, dwedodd Owain.

Cerddodd Baloo a Bryn yn eu blaenau, a siarad am aelodau'r Ganolfan am rai munudau.

– Reit, mae'n well i fi fynd, dwedodd Bryn o'r diwedd.

– Dw i angen awr gyda'r teclyn bowlio. Mae gêm brawf yn erbyn India'r Gorllewin yn dechrau fory. Cofia ffonio, dwedodd gan gerdded yn ôl at ei gar gyda dagrau'n cronni yn ei lygaid wrth iddo sylweddoli na fyddai Baloo yn cael ei ryddhau gan yr awdurdodau am gryn dipyn o amser.

18

Ar ôl gadael yr ysgol yn ddeunaw oed gyda dau lefel A penderfynodd Michael Evans ymgeisio am swydd yn y banc. Wedi pum mlynedd yn clercio fe'i dyrchafwyd yn ymgynghorydd ariannol mewn banc ym mro ei febyd yn Sir Gaerfyrddin. Yn y bôn, ei swydd oedd penderfynu a oedd y banc yn cynnig neu'n gwrthod benthyciadau i fusnesau lleol.

Roedd tuedd gan Mr Evans i roi benthyciadau i'r bobl fwyaf anaddas. Un enghraifft oedd Band Un Dyn oedd yn awyddus i brynu offer trydanol newydd. Buddsoddodd y banc fil o bunnoedd yn y fenter ond lladdwyd y dyn ar ôl iddo dderbyn sioc drydanol fis wedi iddo brynu'r offer. Collodd y banc ei arian.

Y broblem oedd bod Mr Evans yn gweld dim ond y gorau mewn pobl ac yn fodlon cefnogi eu breuddwydion gwag. O ganlyniad i'w benderfyniadau anffodus, collodd y banc ddegau ar ddegau o filoedd o bunnoedd, ac er bod Mr Evans yn disgwyl colli'i swydd roedd ei feistri'n bobl gyfrwys. Fe sylweddolon nhw fod ganddo ddawn anarferol o roi benthyg arian i bobl oedd yn llwyddo i fethu mewn bywyd, ac felly fe'i dyrchafwyd i swydd rheolwr ar fanc gwledig lle byddai ffermwyr yn ysu am fenthyciadau.

Syniad y bancwyr oedd y byddai Mr Evans yn rhoi benthyciadau i'r ffermwyr hynny oedd fwyaf tebygol o fynd i'r wal, gan roi'r cyfle i'r banc feddiannu eu ffermydd yn rhad pan âi'r hwch trwy glos y fferm.

Dyna pam bod Michael Evans yn rheolwr banc yn Aberystwyth ac yntau'n ddim ond 32 mlwydd oed, a dyna pam bod Glyn Pugh a'i feibion dros eu pennau a'u clustiau mewn dyled. Dros gyfnod o bum mlynedd roedd Michael Evans wedi cytuno i fenthyg arian dro ar ôl tro i Glyn Pugh wrth i hwnnw fuddsoddi ym mentrau aflwyddiannus Emlyn, ac yn awr, yn ystod dirwasgiad cyntaf yr 21fed ganrif, roedd meistri Michael Evans yn mynnu bod y benthyciadau hynny'n cael eu talu'n ôl.

– Ond Mr Evans. Does dim un ffordd y galla i dalu'r arian sy'n ddyledus. Mae pethau'n dynn ar y diawl ar y foment, dwedodd Glyn Pugh.

– Mae'n flin gen i, Mr Pugh, ond mae Head Office yn gwasgu arna i. Ro'n i'n meddwl eich bod chi'n mynd i brynu darn o dir a chodi stad o dai.

Esboniodd Pugh fod angen tir Bryn Yale arno fe a bod Yale yn gwrthod gwerthu'r tir. Pwysodd Michael Evans ar draws ei ddesg.

– Efallai nag y'ch chi wedi esbonio i Mr Yale pa mor ddifrifol yw'r sefyllfa, awgrymodd Michael Evans.

– Dyw e ddim yn gwybod am y cynllun, Mr Evans, a se fe yn gwybod, fydde fe ddim yn gwerthu, jest i'm sbeito fi, esboniodd Glyn Pugh.

Cododd Michael Evans ei ysgwyddau.

– Yn anffodus, nid mater i'r banc yw hynny. Mae Head Office yn dweud bod gennych chi tan ddiwedd y mis i ddechrau ad-dalu neu… wel… bydd yn rhaid i'r banc ddechrau cymryd camau priodol. Dw i ddim yn credu bod angen i fi esbonio rhagor, oes e? Gyda llaw, mae hi'n ddiwedd y mis… yym… heddiw, meddai Michael Evans gan godi ar ei draed i ddynodi bod y cyfarfod ar ben.

Y SAITH CORRACH

1

Y bore Llun canlynol, eisteddai Bryn, Dafydd, Sioned, Joyce, John a Harri mewn hanner cylch yn wynebu sedd wag Nikkie. Roedd Nikkie yn dal yn ei swyddfa, a bob hyn a hyn clywid sŵn drâr yn cael ei gau a dogfennau'n cael eu taflu ar ddesg.

– Oes rhywun wedi'i gweld hi bore 'ma? gofynnodd Joyce wrth i fang arall ddod o ystafell Nikkie. Siglodd pawb eu pennau.

– Well i ni gadw'n glir. Synnen i fochyn fod ei hwyl hi'n wael ar ôl y cyfarfod gyda'r arolygydd ddydd Gwener. Bollockings all round, dwedodd Bryn yn dawel cyn dechrau sôn wrth John a Harri am y digwyddiadau yn y llys a'i gyfarfod â Baloo. Doedd yr un o'r ddau yn gwrando arno – roedden nhw'n meddwl am effaith ddinistriol Elin ar eu bywydau.

Pan orffennodd Harri gyda hi roedd Elin wedi bygwth cysylltu â'r Asiantaeth Budd-daliadau i ddweud bod Harri'n gweithio a hefyd yn derbyn dôl. Fe gadwodd at ei air. Wrth yrru yn ei fan i Bow Street, sylweddolodd Harri'n sydyn fod car wedi ei ddilyn yr holl ffordd o Aberystwyth.

Penderfynodd roi'r gorau i weithio, gan dderbyn y dôl a chwilio am swydd dros dro, a threuliodd weddill yr wythnos yn gweithio ar ei CV cyn ymgeisio am sawl swydd a hysbysebwyd yn y papurau lleol. O ganlyniad i'w ymdrechion, derbyniodd lythyr drwy'r post yn ei wahodd i gyfweliad y dydd Mercher canlynol.

Roedd John hefyd yn hel meddyliau am Elin. Roedd y barbeciw i ddathlu adeiladu'r pwll wedi ei drefnu ar gyfer nos Wener. Cyn hynny, byddai'n rhaid i John esbonio i'w wraig pam nad oedd yr un o'l gyd-weithwyr yn Paramount Insurance yn gallu dod i'r barbeciw. Wrth gwrs, ni allai drafod y broblem gydag aelodau'r Ganolfan oherwydd roedden nhw dan yr argraff bod Elin yn gwybod bod John yn ddi-waith. Roedd John hefyd wedi derbyn sawl llythyr cas y bore hwnnw oddi wrth y banc, ei gwmnïau cardiau credyd a'r Gorfforaeth. Dinistriodd y cwbl heb eu hagor oherwydd na allai wynebu'r dyledion echrydus oedd ganddo.

Tra bod John yn hel meddyliau, dwedodd Sioned ei bod hi a Dafydd wedi penderfynu chwilio am fflat gyda'i gilydd.

– Beth mae dy rieni'n feddwl, Sioned? gofynnodd Joyce.

Esboniodd Sioned fod ei rhieni newydd ddychwelyd o wlad Groeg.

– Mae Dafydd yn dod draw am swper i gyfarfod â nhw am y tro cynta nos Wener. Fe ddywedwn ni bryd hynny ein bod ni'n mynd i fyw gyda'n gilydd, meddai Sioned wrth bawb gan wenu'n siriol ar ei chymar.

Gyda hynny clywyd sŵn drws y swyddfa'n cau'n glep. Gwelsant Nikkie yn ei gloi a cherdded tuag atyn nhw gan lusgo bag teithio anferth ar ei hôl.

– Bant ar dy wyliau, Nikkie? gofynnodd Bryn, ond atebodd Nikkie mohono wrth iddi gerdded at ei sedd arferol yn wynebu gweddill aelodau'r Ganolfan.

Edrychodd yn daer ar Bryn, a llusgodd ei sedd fel ei bod yn rhan o'r hanner cylch o seddi. Eisteddodd yn ei sedd a phlethu'i breichiau.

– Cyn i neb ofyn, dw i wedi cael y sac am helpu Baloo a Bryn yn yr Amwythig. 'Bringing the Programme Centre into disrepute'…

Yna clywyd sŵn traed yn esgyn grisiau'r Ganolfan a safai dyn yn ei ugeiniau cynnar wrth y drws.

– Hi. Sorry I'm late, meddai'r dyn, a wisgai siwt foethus. – The name's Darren Beacroft, but you can call me Daz. I'm the new Programme Centre leader, meddai wrth iddo ymuno â nhw. – Anyone seen Mrs Nikkie Rouse?

– Mrs Rouse doesn't work here any more, dwedodd Nikkie

gan godi o'i sedd ac estyn allwedd y Ganolfan i Daz. – She asked me to give you this, ychwanegodd cyn eistedd unwaith eto.

– Oh! Thanks, meddai Daz gan dynnu'i got a sefyll o flaen yr aelodau. – Right. Let's introduce ourselves, awgrymodd Daz gan bwyntio at Nikkie.

– I've recently been made unemployed due to the incompetence of others, dwedodd Nikkie gan edrych i gyfeiriad Bryn.

– And what do you really want to do? gofynnodd Daz.

– Me? I'm going to form a Rock 'n' Roll Band, atebodd Nikkie gan wenu ar Joyce.

2

Roedd Glyn Pugh yn mwydro pen ei fab ac yn taranu am y ffaith bod yr Edrichiaid wedi dod 'nôl i fyw ar dir Bryn, tra bod Emlyn druan wrthi'n ceisio rhoi plastar ar wal y beudy.

– Wedest ti y byddai lladd y ci'n cael gwared arnyn nhw, ond maen nhw wedi bod 'nôl ar dir Yale am dros bythefnos. Beth y'n ni'n mynd i neud? Ac mae'r banc yn gwasgu fel y diawl. A sai'n gweld Yale yn gwerthu'r tir i ni… sai'n gwybod pam wnes i wrando arnot ti, Emlyn… mae hyn yn waeth na'r busnes gyda'r compiwtars a'r ffid, achan… meddai Glyn.

Cododd Emlyn ei drywel, crafu plastr oddi ar y bwrdd morter, a'i daflu i wyneb Glyn.

– Ca dy geg, wnei di, gwaeddodd.

Safodd y ddau yn stond am eiliad.

– Sori, Dad. Damwain, meddai Emlyn.

Cymerodd Glyn ei facyn o'i boced a dechrau sychu'r plastr oddi ar ei wyneb.

– Paid â becso, boi. Mae damweinie'n digwydd, atebodd.

– Beth wedest ti? gofynnodd Emlyn.

– Paid â becso, mae damweinie'n digwydd.

Roedd Emlyn wedi cael syniad am sut i gael gwared â'r hipis. Gwenodd.

– Ti'n iawn. Mae damweinie'n digwydd, Dad.

Rhoddodd ei fwrdd morter ar y llawr a helpu'i dad i sychu gweddill y plastr oddi ar ei ddillad. – Nawr gad i fi ddweud wrthot ti sut ry'n ni'n mynd i gael gwared â ffrindie Yale.

3

Roedd Emlyn a Terry Pugh ar gefn tractor Massey Ferguson yn chwalu dom ar hyd y cae. Tra oeddwn nhw wrth eu gwaith, sylwodd Emlyn fod Mike a Jean Edrich yn eistedd wrth fwrdd yn yfed te ger y ffens oedd yn rhannu Cae Martha oddi wrth dir teulu'r Pughiaid.

Roedd Mike a Jean wedi ffarwelio â Bryn y bore hwnnw cyn iddo deithio i'r Ganolfan. Roedd y ddau wedi pacio ac yn mwynhau paned dawel yng nghanol llonyddwch y wlad ar ddechrau'r Hydref cyn cychwyn ar eu taith i fynychu protest gwrth-gyfalafol ym Manceinion y penwythnos hwnnw. Ond doedd Glyn ac Emlyn Pugh yn gwybod dim am hyn. Roedden nhw'n ofni bod Jean a Mike Edrich yn bwriadu aros ar dir Bryn am oesoedd.

Pwyntiodd Emlyn at Edrich a'i wraig cyn gweiddi ar ei frawd. – Wyt ti'n meddwl beth dw i'n feddwl, Terry?

– Nadw, atebodd Terry.

Symudodd y tractor yn agosach at y ffens cyn stopio. Neidiodd Emlyn o'r caban gan weiddi ar ei frawd i ymuno ag ef.

– Beth sy'n bod? gofynnodd Terry.

– Dw i'n credu y dylen ni wasgaru tipyn o ddom draw fanco, dwedodd Emlyn gan amneidio tuag at y fan lle'r oedd yr Edrichiaid yn eistedd.

– Na, Emlyn. Sdim angen hyn. Plîs, Emlyn…

– Paid â'm siomi i, Terence. Ti'n gwybod beth ddigwyddith os gwnei di fy siomi i, yn dwyt ti, meddai Emlyn gan wenu.

Camodd Terry yn ôl i'r caban a dechrau gyrru'r tractor i gyfeiriad yr Edrichiaid. Hon fyddai'r ail aberth ar allor gwendid Terry Pugh. Gwasgarwyd y dom yn gawod ddrewllyd dros Mike a Jean Edrich.

– O diar, Terry. Mae'r gêrs wedi jamo, gwaeddodd Emlyn gan wincio ar ei frawd.

Neidiodd Mike Edrich dros y ffens a rhedeg at y tractor, neidio i'r cab a llwyddo i stopio'r gawod. Doedd Terry ddim yn gallu edrych arno. Neidiodd Edrich i lawr o'r caban a chamu tuag at Emlyn Pugh nes bod y ddau'n sefyll drwyn wrth drwyn.

– Dw i wedi cael llond bola arnoch chi'ch dau. Dw i'n gwybod mai chi laddodd Scabies druan.

– Profwch e, meddai Emlyn. – Ac ry'ch chi'n tresmasu ar ein tir ni, ychwanegodd.

– Pam na allwch chi adael inni fod, y bastards? gwaeddodd Edrich gan gerdded yn ôl tuag at gae Bryn.

– Cau dy geg, y ffrîc, atebodd Emlyn.

Ac yntau ar fin neidio dros y ffens a rannai'r ddau gae, trodd Edrich at y ddau frawd a dechrau chwerthin yn afreolus.

– Ni yw'r ffrîcs, ife? gwaeddodd.

– Peidiwch â mynd. Fydd 'da ni neb i chwarae 'da nhw, bloeddiodd Emlyn.

Ni ddwedodd Terry air. Cofiodd am Michelle yn ei alw'n 'caveman'. Roedd Terry wedi camu'n ôl i ogof anwybodaeth, a gwyddai mai yno y byddai'n aros am weddill ei oes.

– Dere mla'n Jean. Ry'n ni'n mynd, meddai Edrich wrth ei wraig.

Gwyliodd Emlyn yr Edrichiaid yn cerdded i ffwrdd a dweud, – Dw i'n dwlu ar arogl dom yn y bore, Terry. Mae'n arogli fel... buddugoliaeth.

Awr yn ddiweddarach, roedd Mike a Jean Edrich ar y lôn unwaith yn rhagor. Mewn amlen wrth ddrws y garafán roedd neges ffarwél yn esbonio'r llanast a achoswyd gan Emlyn a Terry Pugh.

4

Edrychodd Baloo ar ei wats Mickey Mouse. Tri o'r gloch. Amser cyfarfod â Charlie ac Owain yn yr ardd flodau.

– Diolch am ddod, meddai Charlie wrtho pan gyrhaeddodd yr ardd.

– Beth y'ch chi moyn trafod? gofynnodd Baloo.

– Sai'n siŵr os wyt ti wedi sylwi, ond mae'r lle 'ma'n llawn nytars. Mae'n rhaid i ni ddianc, dwedodd Charlie.

– Mae Charlie'n iawn. Dianc ac anelu at Fynydd Hyddgen sydd raid, meddai Owain.

– Ond sut galla i helpu? gofynnodd Baloo.

– Mae angen ti i ein gyrru ni o 'ma.

– Ond pam fi?

– Gwranda. Mae Owain yn byw yn y bymthegfed ganrif a minnau'n byw yn yr ail ganrif ar bymtheg. Doedd dim ceir yn ein hamser ni.

– Ond i ble ry'ch chi'n meddwl mynd?

– Yn bell bell i ffwrdd, dros y môr i Skye. Mae gan Flora McDonald gwch yn aros amdanon ni yno. Ac mae Owain 'di bod yn casglu matsys...

Agorodd Owain ei got a gwelodd Baloo ei fod wedi gwneud rhwyf allan o fatsys.

– Bydd y rhwyf arall yn barod erbyn nos yfory, dwedodd Owain. – Ac yna fe wnawn ni rwyfo i Ffrainc. Mae gen i gysylltiade yn y Palas Elysée. Wyt ti gyda ni, Baloo?

Meddyliodd Baloo yn ddwys. Roedd yn sylweddoli na fydde'r

awdurdode'n caniatáu iddo adael y cartre am sawl blwyddyn. Hefyd, meddyliodd, os galla i gyrraedd Paris galla i fynd, o'r diwedd… i EuroDisney!

– Ydw. Dw i gyda chi, atebodd yn eiddgar.

5

Erbyn iddo gyrraedd adref o'i waith, roedd Tony wedi blino'n lân.

– Ble mae dy fam? gofynnodd i'w ferch, Diane. Roedd hi yn y gegin yn bwyta darn o foronen yn awchus, a rhuthrodd am y drws.

– Sori, Dad. Methu aros. Dw i'n cyfarfod â ffrindie yn y dre. Sai'n gwybod ble mae Mam, atebodd gan adael y tŷ ar ras wyllt.

Roedd Joyce a Graham wedi treulio'r prynhawn yn symud eu gitarau a'r amps i dŷ Nikkie lle bydden nhw'n cynnal yr ymarferion i baratoi ar gyfer eu gìg cynta. Eisoes roedd Nikkie wedi ffonio sawl tafarn yn y dre a gofyn iddyn nhw ystyried rhoi sbot iddyn nhw.

Symudodd Tony i'r lolfa ac eistedd ar y soffa i wylio'r teledu. Teimlodd rywbeth caled yn erbyn ei gefn a thynnodd lyfr o'i guddfan y tu ôl i'r glustog.

Edrychodd ar y clawr. *The Mid-life Crisis and How To Survive It*. O leiaf roedd Joyce yn wynebu'r ffaith bod ei chorff yn mynd trwy newidiadau mawr, meddyliodd.

Gwasgodd y botwm newid sianeli. Roedd opera sebon ar BBC1, opera sebon ar BBC2, opera sebon ar Sianel 5, opera sebon ar ITV, a dramâu ditectif di-ri ar y sianeli eraill. Trodd at y Sianel Gymraeg Ddigidol a chlywed cerddoriaeth agoriadol rhaglen o'i enw *Honno*.

– Heno ar *Honno* ry'n ni'n mynd i drafod y menopause, neu'r darfyddiad. Gyda ni mae Felicity Christian, Modryb Mwydro'r rhaglen ... felly os oes gennych chi gwestiwn ynglŷn â'r menopause, ffoniwch ni nawr ar 01792 222222. Ond yn gyntaf dyma Irma, sydd wedi hen basio'r menopause ac sy'n mynd i ddangos i ni sut i goginio tatws trwy'u crwyn. Heno, mae dillad Irma wedi eu noddi gan Mario's o Abertawe... Irma.

Roedd yn amlwg wrth yr olwg ar wyneb Irma nad oedd hi'n hapus gyda geiriau'r cyflwynydd. Trodd Tony yn ôl at y llyfr a dechrau ei ddarllen. Gwelodd benodau'n sôn am fynd ar sbri gwario, bod yn ecsentrig, hwyliau ansad ac annibyniaeth a hunaniaeth. Wrth ddarllen, penderfynodd Tony fod Joyce yn bendant yn mynd drwy'r darfyddiad. Cododd y ffôn a dechrau gwasgu'r botymau 0,1,7,9, 2...

Gorffennodd Irma ei slot goginio trwy wenu ar y camera a dweud, – A dyna fe. Taten drwy'i chroen... ac un sy'n edrych yn syndod o debyg i siâp pen-ôl Siân.

– Diolch, Irma, dwedodd Siân gan grychu'i hwyneb. Yna newidiodd goslef ei llais. – Y darfyddiad. Y menopause. Ydi e'n effeithio ar eich bywyd chi? Beth allwch chi ei wneud i ddatrys y broblem erchyll hon? All bywyd fyth fod yr un fath ar ôl ei ddioddef? Yn wahanol i Irma, dydw i ddim wedi cael y profiad eto, ond i droi atoch chi, Felicity, rwy'n siŵr eich bod chi'n gallu siarad o brofiad.

– Ymm... diolch Siân, atebodd Felicity gan symud yn anesmwyth yn ei chadair. – Mae'r darfyddiad, y menopause, yn effeithio ar fywyd menywod mewn ffyrdd gwahanol, ond mae 'na gamau ymarferol y gallwn ni eu cymryd. Er enghraifft, y bwyd ry'ch chi'n ei fwyta. Hefyd, dull poblogaidd iawn y dyddiau 'ma yw triniaeth HRT, neu Hormone Replacement Therapy. Mae gen i 'pad' wedi'i guddio ar fy nghorff heno, Siân.

– Allwn ni ddangos y pad hwn i'r gwylwyr, Felicity?

Closiodd y camera at gorff Felicity i ddangos pad wedi'i guddio y tu ôl i'w chlust chwith.

– Mae'r hormon yn treiddio drwy'r corff, dwedodd Felicity.

– Da iawn. Ond oes arwyddion amlwg i ddangos y newid yma? gofynnodd Siân.

– Heblaw am sbri gwario, hwyliau oriog ac ymddwyn yn od, yn aml mae'r person yn trosglwyddo'i sylw o'i phartner i'w phlant, ei ffrindiau neu hyd yn oed i anifeiliaid…

– Diolch, Felicity. Dw i'n credu ein bod ni'n barod nawr i dderbyn ein galwad gynta, gan Graham o Aberystwyth, meddai Siân yn gyflym.

– Helô Graham, sut gallwn ni eich helpu chi?

– Dw i'n credu bod fy ngwraig yn mynd trwy'r darfyddiad, dwedodd Tony'n araf.

– A pham y'ch chi'n meddwl hynny? gofynnodd Felicity cyn i Siân gael cyfle i agor ei cheg.

– Wel, mae hi wedi dechrau gwario tipyn go lew o arian…

– Ie…

– Ac mae hi wedi bod yn ymddwyn mewn ffordd reit od tuag ata i'n ddiweddar…

– Ym mha ffordd, Graham? dwedodd Siân yn gyflym cyn i Felicity gael cyfle i agor ei cheg.

– Wel. Dyw hi byth adref. Mae hi'n treulio llawer o'i hamser gyda ffrind … o'r gwaith…

– Ai menyw neu ddyn yw'r ffrind, Graham? gofynnodd Felicity gan ddechrau glafoerio. Roedd hi gam ar y blaen i Siân.

– Menyw… rwy'n credu, atebodd Tony, gan gofio bod Joyce wedi sôn tipyn am Nikkie yn ystod y mis y bu'n aelod o'r Ganolfan Rhaglenni.

– Felly. Beth sy'n digwydd, Felicity? gofynnodd Siân mewn llais oedd yn ffugio pryder.

– Mae hi'n swnio fel menyw sy'n dod i delerau gyda'i rhywioldeb, dwedodd Felicity.

– Ym mha ffordd? gofynnodd Siân.

– Gadewch i fi esbonio, Graham. Mae ystadegau'n dangos bod llawer o fenywod yn dechrau arbrofi'n rhywiol gyda menywod eraill pan maen nhw'n cyrraedd y darfyddiad, y menopause…

– Beth? gwaeddodd Tony.

– Peidiwch â cholli'ch tymer, Graham. Mae'n rhaid i chi dderbyn y sefyllfa. Allwch chi ddygymod â'r peth, Graham? Allwch chi? Graham? Graham?

Ond roedd Tony eisoes wedi rhoi'r ffôn i lawr ac yn eistedd yn ei gadair gyda golwg bryderus iawn ar ei wyneb.

6

Pan drodd Bryn drwyn ei Citroën 2CV i mewn trwy'r bwlch i Gae Martha, gwelodd fod ei garafán wedi'i gorchuddio â llwyth o ddom da. Gwelodd hefyd fod fan yr Edrichiaid wedi mynd.

Wrth gerdded at y garafán, sylwodd ar yr amlen ger y drws. Rhwygodd hi ar agor a darllen y nodyn yn gyflym.

– Reit, Pugh. Test Match, dwedodd yn dawel.

7

Roedd Glyn, Emlyn a Terry Pugh yn bwyta'u swper yn eu côl ac yn gwylio'r teledu yr un pryd. Byth ers i Mrs Pugh farw, roedd Emlyn a Terry wedi byw ar fananas, bacwn, wyau a thatws, a dyna'r wledd roedden nhw'n ei mwynhau'r noson honno.

Gan ei bod yn tynnu at saith o'r gloch, trodd Glyn at y sianel ddigidol Gymraeg i wylio *Rasys*. Roedd y rhaglen am y menopause yn tynnu at ei therfyn.

– Ac yfory mi fyddwn ni'n sôn am hawliau'r di-waith yn sgil y Wasgfa Credyd. Felly, ymunwch ag Irma, Felicity a fi, Siân Jones, bryd hynny. Nos da.

– Hahaha, chwarddodd Glyn.

– Hawliau'r di–waith? Dim hawliau, meddai Emlyn wrth ei dad oedd yn eistedd yn dawel yn pigo darn o facwn o'i ddannedd.

– Sdim ots am yr hipis 'na. Yale yw'r broblem. Hwnna fydd yn rhaid i ni gael gwared arno. Ac mae'r banc yn bygwth anfon y bwm beili i gymryd stwff oddi ar y fferm os na ddown ni o hyd i arian cyn dydd Sadwrn, dwedodd Glyn Pugh gan chwifio llythyr y banc o flaen ei ddau fab.

– Paid â becso, Dad. Dim ond bygwth wnân nhw. Dyw pobl fel 'na byth yn cadw at eu gair. Dim gyts, dwedodd Emlyn.

Eiliad yn ddiweddarach, clywodd y tri sŵn gwydr yn torri i fyny'r grisiau.

Beth uffarn oedd hwnna? gwaeddodd Glyn gan ollwng ei blât ar y llawr. Boddwyd sŵn y plât yn torri gan sŵn ffenestr arall yn malu'n deilchion.

– Blydi hel! gwaeddodd Terry gan daflu ei hun i'r llawr. Eiliad yn ddiweddarach roedd ei dad a'i frawd wedi ymuno ag e ar y llawr wrth i ffenest y gegin chwalu. Wrth i'r tri orwedd yno ochr yn ochr, fe welson nhw rywbeth coch yn rowlio o'u blaenau ac yn stopio fodfeddi o drwyn Terry.

– Grenâd yw e? sibrydodd Terry gan gau ei lygaid.

– Na, blydi Yale yw e! gwaeddodd Glyn gan godi ar ei draed. Eiliad yn ddiweddarach roedd ar ei gefn wrth i bêl griced arall hedfan drwy'r ffenest a'i daro yn ei stumog.

– Allan ar y clos, roedd Bryn yn brysur yn bwydo peli i'r teclyn bowlio.

– Howsat, gwaeddodd yn wallgo pan welodd bêl yn chwalu un arall o ffenestri cartref Glyn Pugh.

Sylwodd fod Glyn Pugh a'i ddau fab wedi dod allan o'r tŷ ac yn cerdded tuag ato fel cymeriadau mewn Spaghetti Western.

– Amser am y Sand Shoe Crusher, dwedodd Bryn gan anelu pêl at draed y tri. Gwibiodd y bêl drwy'r awyr a tharo Terry Pugh ar ei slipers.

Gwichiodd mewn poen, ond cerddodd Glyn ac Emlyn ymlaen.

– Y Balls Jerker, gwaeddodd Bryn gan anelu pêl dair llathen o flaen Glyn a'i gwylio'n bownsio a'i daro yn ei fan gwan.

– No Ball, gwaeddodd Bryn pan welodd Glyn yn rowlio ar y llawr.

Edrychodd Emlyn ar ei dad a'i frawd yn gorwedd ar y llawr ac yna ar Bryn yn gwenu'n fileinig.

– It's a Bouncer, gwaeddodd Bryn gan ryddhau'r drydedd bêl. Welodd Emlyn mo'r bêl yn bownsio, yna'n codi a'i daro yn ei ben. Ymhen eiliad roedd yn gorwedd yn anymwybodol ar y llawr. Cerddodd Bryn tuag at y tri ac edrych i lawr arnyn nhw.

– Cofion gorau oddi wrth yr Edrichiaid a Scabies, meddai gan gerdded at ei gar a gyrru ymaith gan dynnu'r teclyn bowlio y tu ôl iddo.

– Galwa'r polîs, Terry, meddai Glyn pan ddechreuodd y tri adfywio.

– Na, meddai Emlyn gan wenu'n filain. – Dw i'n mynd i orffen hyn unwaith ac am byth.

– Sai'n gwybod pam rwyt ti'n gwenu, y cwrcyn. Edrych beth sy 'di digwydd nawr. Mae'r Yale 'na wedi colli'i limpyn yn llwyr, a wneith e byth werthu'r tir 'na i ni. A dim ond tan dydd Sadwrn sydd 'da fi cyn i'r banc hawlio'r arian yn ôl, gwaeddodd Glyn gan wingo mewn poen rhwng pob gair.

– Dw i'n credu ei bod hi'n amser i ni berswadio Mr Yale i arwyddo cytundeb i werthu'r tir 'na i ni am bris rhesymol, dwedodd Emlyn.

– Am beth wyt ti'n siarad, y broga? gofynnodd Glyn.

– Bydd ein cyfreithiwr yn llunio dogfen bore fory... ac fe wnawn ni'n siŵr bod Mr Yale yn arwyddo'r ddogfen fydd yn trosglwyddo'r tir i ni am tua £10,000, dwedodd Emlyn gan godi o'i sedd a throi at Glyn a Terry oedd yn dal i wingo yng nghornel yr ystafell.

– Fe ddo i a Terry â rhai o fois yr ardal yma. Fan hyn am wyth o'r gloch nos Wener, dwedodd Emlyn yn benderfynol.

8

Y bore canlynol, eisteddai aelodau'r Ganolfan o gwmpas y peiriant MaxPax. Roedd Bryn wrthi'n disgrifio'r Bouncer a darodd Emlyn Pugh pan ddaeth Daz Beacroft o'i swyddfa i ddweud bod galwad ffôn i Nikkie. Parhaodd Bryn gyda'i stori.

– Beth os gwnân nhw ffonio'r heddlu? gofynnodd John yn bryderus.

– Sai'n credu y byddan nhw moyn cysylltu â'r heddlu, yn enwedig ar ôl iddyn nhw ymosod ar yr Edrichiaid gyda chawod o ddom da, dwedodd Bryn cyn sylweddoli bod rhywun yn gwisgo siwt a thei yn cerdded at yr ystafell goffi.

– Diolch byth fod hynna drosodd, dwedodd Harri gan dynnu'i dei. Edrychodd pawb arno.

– Wel, Harri. Gest ti'r swydd? gofynnodd Bryn.

– Dw i angen coffi, atebodd Harri gan gydio mewn diod o'r teclyn MaxPax a chymryd dracht hir o'r cwpan plastig.

– Wel? gofynnodd Bryn.

– Do. Ges i'r swydd, atebodd Harri'n ddi-wên.

– A beth yw hi? gofynnodd Sioned.

– Ymm, swydd yn y diwydiant cludiant, oedd ateb amwys Harri.

Closiodd Bryn ato. – Dyw hi ddim yn swnio fel swydd ddelfrydol i ti, Harri, awgrymodd.

– Pryd wyt ti'n dechrau? gofynnodd John.

– Fory. Ro'n i eisiau dod 'ma i ddweud ta ta wrthoch chi i gyd...

Tarfwyd ar y drafodaeth gan Nikkie yn rhedeg o swyddfa Daz.

– Joyce… Joyce… ma 'da ni gìg!

– Beth? meddai Joyce yn gegagored.

– Nos fory, yn yr Angel… mae'r act oedd fod i chwarae wedi tynnu mas ac maen nhw wedi gofyn i ni gymryd eu lle.

– Faint o'r gloch?

– Hanner awr wedi wyth. Hanner can punt. Well i ni gael ymarfer arall heno, dwedodd Nikkie cyn sylwi fod pawb arall yn benisel.

– Beth sy'n bod? gofynnodd.

– Mae Harri wedi cael swydd, dwedodd Dafydd.

– Gwych. Mi allwch chi i gyd ddathlu gorchest Bryn a llwyddiant Harri yn yr Angel nos fory.

– Mae Dafydd yn dod am swper aton ni nos fory, ond fe wnawn ni'n gore i alw draw yn hwyrach, meddai Sioned

– Beth amdanoch chi'ch dau? gofynnodd Joyce gan droi at Bryn a John.

– Mae'n flin 'da fi, Joyce ond rwy'n brysur, dwedodd John. Allai e ddim mentro sôn am y barbeciw wrth aelodau'r Ganolfan.

– Beth amdanat ti, Harri? gofynnodd Nikkie.

– Sai'n siŵr. Falle bydda i'n gweithio'n hwyr nos fory, atebodd Harri.

– Bryn? gofynnodd Joyce yn obeithiol.

– Fe fydda i'n ffonio Baloo ar ôl swper, ond bydda i yna erbyn deg, paid â phoeni, dwedodd cyn troi at Sioned a Dafydd. – Ac fe roia i lifft i'r dre i chi, ychwanegodd.

– Diolch, dwedodd Dafydd, ond doedd e ddim yn edrych ymlaen at gyfarfod â rhieni Sioned.

9

Nos Wener. Roedd Iwan ac Irene yn gwthio'i gilydd o'r ffordd wrth geisio edrych drwy ffenest yr ystafell fyw. Roedd Dafydd a Sioned wedi dod allan o'r 2CV ac yn trafod rhywbeth gyda'r dyn tew â'r barf.

— Beth wyt ti'n feddwl, Irene? gofynnodd Iwan.

— Os chwaraewn ni'n cardiau'n iawn, fe gawn ni wared arni erbyn Nadolig.

— Gwlad Groeg amdani, meddai Iwan gan wasgu'i wraig yn dynn.

10

Ar yr un pryd, cerddodd Tony drwy ddrws ei dŷ ar ôl diwrnod hir o waith. Sylwodd fod ei wraig wedi ymbincio a'i bod ar fin gadael y tŷ.

— Mas heno 'to? gofynnodd yn chwyrn.

— Ydw, dw i'n mynd i weld Nikkie, atebodd Joyce.

— O! oedd unig ateb Tony.

— Graham. Dere mla'n, gwaeddodd Joyce ar ei mab oedd hanner ffordd i lawr y grisiau.

— Smo ti'n mynd â Graham gyda ti?

— Ydw, mae e'n moyn dod.

Gwibiodd pob math o syniadau erchyll trwy feddwl Tony.

— Ble mae Diane?

— Yn ei hystafell. Pam?

— Dim rheswm, dwedodd Tony.

— Rcit. Wela i di yn nes ymlaen. Efalle y byddwn ni braidd yn hwyr.

Cusanodd Joyce foch Tony a gadael y tŷ gyda Graham yn ei dilyn.

– Pam na ddwedi di wrtho fe, Mam? gofynnodd Graham.

– Os bydde fe'n gwybod bydden ni'n cwympo mas, a dw i wedi cael digon ar hynny. Ta beth, mae hyn yn rhywbeth sy'n rhaid i fi ei wneud.

Edrychodd Tony ar y ddau'n gadael, cau drws y tŷ ar ei ôl, a dechrau eu dilyn.

11

Er bod y plât o'i flaen ers deng munud a mwy, doedd Dafydd ddim wedi ddechrau bwyta'i fwyd eto. Bu Iwan ac Irene yn ei holi'n dwll am ei gefndir, ac erbyn hyn roedden nhw wedi cyrraedd ei ddyddiau coleg.

– Pa bwnc fuoch chi'n astudio yn y Coleg, Dafydd? gofynnodd Iwan.

– Cymraeg, atebodd yn fecanyddol.

– A pha radd gawsoch chi? gofynnodd Irene.

– Pass.

– Sdim ots. Gradd yw gradd. Dw i'n siŵr eich bod wedi gwneud eich gore, meddai Irene gan wneud i Dafydd deimlo'n fwy annifyr fyth.

– Ydych chi'n gweithio nawr? gofynnodd Iwan.

– Dad! Chi'n gwbod yn iawn ei fod e'n ddi-waith.

A dweud y gwir, roedd Iwan yn fwy nerfus na Dafydd hyd yn oed, a gweddïai nad oedd sboner Sioned yn nytar neu'n seicopath. Byddai unrhyw nam arall ar ei bersonoliaeth yn dderbyniol iddo. Roedd hefyd yn aros am gyfle i ddweud wrth y pâr ifanc ei fod e ac Irene wedi penderfynu prynu tŷ yng ngwlad Groeg ac wedi talu blaendal arno y bore hwnnw.

– Na, pan ddwedes i'r gair gweithio ro'n i'n gofyn tybed oedd Dafydd yn dal i farddoni. Soniodd Sioned rywbeth am y peth, dwedodd Iwan yn ceisio palu'i hunan allan o dwll.

– Roedd Iwan yn arfer barddoni hefyd, dwedodd Irene yn llawn balchder.

– Roedd hynny amser maith yn ôl, dwedodd Iwan.

– Mae'r sbrowts 'ma'n neis iawn, Mam, meddai Sioned yn gyflym.

– Ydych chi'n dal i ysgrifennu? gofynnodd Dafydd gan weld cyfle i ehangu'r sgwrs.

– Na, fe rois i'r gorau i farddoni pan o'n i'n dri deg chwech oed. Doedd dim byd gen i ar ôl i'w ddweud.

– Dyna pryd wnest ti gwrdd â Mam, meddai Sioned.

– Ie, Sioned, dwedodd Iwan gan wenu. Y peth gore 'nes i erioed... .

– Ond mae e'n dal i feirniadu. On'd wyt ti, cariad? meddai Irene. – Daeth e'n ail yng nghystadleuaeth Coron yr Eisteddfod Genedlaethol dair gwaith. Jimmy White beirdd Cymru. Ond fe enillest ti Gadair yr Urdd, on'd do fe? chwarddodd Irene cyn ychwanegu, – Yr oriau mae e wedi'u treulio yn ei ystafell yn darllen gwaith cystadleuwyr... Peidiwch â sôn!

– Dwed wrth Mam a Dad am dy ddiddordeb mewn Tai Chi, dwedodd Sioned yn glou wrth Dafydd er mwyn newid trywydd y sgwrs.

– O, do'n i ddim yn sylweddoli ichi fod mor llwyddiannus fel bardd, meddai Dafydd gan edrych yn wgus ar Sioned, oedd wedi dweud celwydd wrth Dafydd am yrfa'i thad fel bardd.

– A soniodd Sioned ddim byd am feirniadu chwaith, Mr Prytherch, ychwanegodd Dafydd gan bwyso ymlaen yn ei gadair.

– Dw i wedi beirniadu sawl tro yn Eisteddfodau'r Urdd. Abergele, Aberystwyth, Caerdydd yn 2005...

– Caerdydd! A beth oeddech chi'n feddwl o safon y gystadleuaeth?

– Gwael iawn, heblaw am dri neu bedwar bardd. Mae'n od. Ambell waith, y cerddi gwannaf sy'n aros yn y cof. Dw i'n cofio un gerdd yn sôn am y bardd yn cynnal séance gyda'i fodryb.

– Ouija Board gyda'i fam-gu, meddai Dafydd.

– Ie, 'na fe. Nonsens llwyr. Yn y diwedd roedd y fodryb...

– Y fam-gu!

– Ie, y fam-gu yn byw mewn tegell...

– Cwpan te.

– Ie. Ry'ch chi'n iawn. Cwpan te oedd e, dwedodd Iwan ... oedodd a sylweddoli mai Dafydd oedd wedi ysgrifennu'r gerdd.

– Chi?

– Fi.

– Shit, meddai Iwan, a welai ei freuddwyd o fyw yng ngwlad Groeg yn diflannu o flaen ei lygaid.

Cododd Dafydd. – Mae'n well i fi fynd, Sioned, dwedodd a cherdded allan o'r tŷ.

– Diolch, Dad. Diolch yn fawr, gwaeddodd Sioned cyn rhedeg ar ei ôl.

– Pam na wedest ti wrtha i? gwaeddodd Dafydd gan frasgamu ymlaen.

– Doedd e... dyw e ddim yn bwysig.

– Ddim yn bwysig! Ddim yn bwysig! Dyna beth ddwedodd hwnna mewn fanna. Ddim yn bwysig. Wel, roedd fy mam-gu *yn* bwysig Sioned. Cer 'nôl at dy fam a dy dad. Maen nhw dy angen di fwy nag ydw i...

Cyn i Sioned gael cyfle i ymateb, gwelodd Dafydd fws yn pasio. Rhedodd ar ei ôl, a neidio arno.

Gwyliodd Sioned y bws yn diflannu i'r nos a throi i ddychwelyd at ei rhieni.

12

Erbyn i Sioned gyrraedd y tŷ roedd Iwan ac Irene yn sefyll wrth stepen y drws.

– Tarten gwsberis, Sioned? cynigiodd Irene.

– Stwffiwch hi, atebodd Sioned.

Cydiodd yn ei chot a rhuthro allan o'r tŷ unwaith eto gan adael ei mam a'i thad yn sefyll yn gegagored.

– Ble rwyt ti'n mynd? gofynnodd Iwan.

– Dw i'n mynd ar ôl Dafydd. Mae e ei angen i mwy nag ry'ch chi nawr. Man a man i fi ddweud wrthoch chi. Ry'n ni'n mynd i fyw gyda'n gilydd.

Cerddodd Iwan ac Irene yn dawel i'r parlwr a rhoddodd Iwan y chwaraeydd CD ymlaen tra bod Irene yn agor potel o Retsina. Ymhen eiliadau, roedd sŵn cerddoriaeth o'r ffilm *Zorba the Greek* yn llenwi'r tŷ a'r ddau'n dawnsio o gwmpas yr ystafell.

13

Safai John ar ei ben ei hun ym mhen pella'r ardd yn gwylio tua ugain o gymdogion a chyfeillion Elin yn mwynhau gwin a byrgers o gwmpas y barbeciw.

Sylweddolai'n awr pa mor ynysig y teimlai. Doedd ganddo ddim diddordeb mewn siarad am PEPS, morgeisi a gwyliau ym Mhortiwgal, ac roedd y byd hwn yn estron iddo. Sylweddolodd pa mor ddiflas oedd y bobl hyn, oedd yn malu awyr am ddim byd.

Sylweddolodd hefyd fod yr wythnosau diwethaf wedi agor ei lygaid. Er nad oedd ei ffrindiau newydd yn y Ganolfan Rhaglenni'n bobl llwyddiannus, roedden nhw i gyd yn gwneud beth roedden nhw eisiau ei wneud yn hytrach na beth ddylen nhw ei wneud.

Gwyliodd John ei wraig yn siarad ger y pwll, a sylweddolodd fod yn rhaid iddo ddianc. Roedd Elin, wrth gwrs, wedi dechrau meddwi'n barod.

– O Kenneth. Rwyt ti'n un, on'd wyt ti, chwarddodd Elin

wrth sgwrsio â chymydog yn ei ugeiniau cynnar.

Cerddodd John draw at y barbeciw i droi'r byrgers.

– O Kenneth, paid, chwarddodd Elin eto wrth i Kenneth sibrwd rhywbeth yn ei chlust. Trodd Elin at ei gŵr. – John, glywest ti beth ddwedodd Kenneth?

– Naddo, atebodd John yn swrth gan roi taten arall ar y tân.

Closiodd Elin at ei gŵr. – Pwy sy'n Grumpy Pumpy ac yn blin machine, dwedodd yn uchel gan esgus bod yn gariadus. – Gwna ymdrech, wnei di? Mae pobl yn dechrau sylwi, sibrydodd yn ffyrnig.

– O John. Smo ti'n gwisgo dy het, gwaeddodd yn uchel unwaith eto gan gydio mewn het cogydd. – Dere mla'n. Gwisga dy het.

– Na.

Trodd Elin at y gwesteion. – Dere mla'n John. Ry'n ni i gyd ishe i ti wisgo dy het, on'd y'n ni?

Dechreuodd pawb guro'u dwylo'n araf a gweiddi – Het, Het, Het, Het – cyn i Elin roi'r het ar ben John fel ei bod hi'n gorchuddio'i lygaid.

– Gwd boi, dwedodd cyn symud at westai arall.

– O, Stephen. Gad i fi dy lenwi di, dwedodd wrth ddyn oedd yn astudio'r pwll.

– Mae'r pwll yn wych, Elin, dwedodd Stephen. Roedd yn ddarlithydd yn adran Saesneg y Coleg. – Mae'n f'atgoffa i o amgueddfa Dalí yn Figueres. Yr holl bagels caws ac wyau 'na. Mae swrealaeth yn bendant yn dod 'nôl ac rwyt ti, Elin, ar flaen y gad.

– Diolch, Stephen. Ac mae 'na bysgod 'na fyd.

– Really?

– Hmmm. Meddylia am yr holl ryw a thrais sy'n mynd ymlaen yn y pwll bach 'na. Mae gen ti a Miranda gerflun o David yn eich gardd chi, on'd oes e?

– Oes. Ond nid yr un gwreiddiol, gwaetha'r modd, atebodd Stephen, gan chwerthin yn isel.

– Does ganddo fe ddim llawer lawr sta'r oes e? dwedodd Elin gan ymestyn am drowsus Stephen. – Yn wahanol i rywun fi'n nabod.

– A! Miranda, dwedodd Stephen mewn llais ffalseto uchel wrth iddo weld ei wraig yn craffu ar y ddau'n sefyll wrth y pwll.

– Dy golled di, cariad, dwedodd Elin wrtho.

14

Dilynodd Tony ei wraig a'i fab i dŷ Nikkie yr ochr arall i'r dre, a chuddiodd y tu ôl i glawdd i wylio Joyce a Graham yn mynd i mewn i'r tŷ. Clywai leisiau'n dod o'r ystafell fyw a symudodd yn nes.

– Beth wyt ti'n feddwl o'r chwip, Joyce? gofynnodd Nikkie gan daro'r chwip deirgwaith ar y llawr.

– Iesu Grist! Mae hyn yn waeth nag o'n i'n ddychmygu, meddyliodd Tony.

Estynnodd ymlaen i edrych drwy'r ffenestr, a gwelodd Joyce yn ei bra a'i nicyrs a'r fenyw arall yn gwisgo het cowboi. Cerddodd Graham i mewn i'r ystafell yn gwisgo dim byd ond ei bants.

– Smo ti'n barod 'to? gwaeddodd Joyce.

Symudodd Tony o'r ffenest a cherdded ymaith. Roedd ei briodas ar ben, heb os nac oni bai, ac roedd angen diod arno'n druenus.

15

Roedd Elin gyda Stephen yng nghornel yr ardd unwaith eto.

– Dere mla'n Steve. Pam na allwn ni ddechrau eto?

– Rwyt ti wedi cael gormod i'w yfed, Elin. Beth ddwedodd Dorothy Parker, 'One More Drink and you'll be under the host…'

Edrychodd Elin draw at John. – Dim diolch. Bydden i'n cael mwy o hwyl gyda cherflun David. O leia mae hwnna'n galed.

– A! Miranda, gwaeddodd Stephen gan fachu ar gyfle i ddianc o grafangau Elin unwaith eto.

Roedd John yn coginio byrgers wrth y barbeciw pan glywodd lais cyfarwydd.

– Helô, Mr Burton.

Trodd a gweld Phil Hassock BA yn sefyll wrth ei ymyl.

– Roedd y drws ffrynt ar agor felly gadewais i fy hun i mewn.

– Beth y'ch chi moyn?

– Dewch, dewch, Mr Burton. Pa fath o groeso yw hwnna? Dw i wedi dod yma i gael sgwrs gyda chi. Ry'ch chi'n dipyn o ddyn, Mr Burton, ydych wir. Gwerthu insiwrans, rhoi cymorth cyfreithiol, ac yn awr yn trefnu partïon. Tipyn o Jac, neu John of All Trades, Mr Burton. Ond, yn anffodus, yn feistr ar yr un ohonyn nhw, dwedodd Phil gan ddechrau cerdded o amgylch John.

– Tŷ neis, Mr Burton; piti na fyddwch chi'n byw yma fory. Dw i'n mynd i gymryd eich holl eiddo chi, Mr Burton, hyd yn oed y crys sydd ar eich cefn chi. Ers ein cyfarfod cynta ry'ch chi a'ch ffrindiau yn y Ganolfan Rhaglenni wedi peri poendod mawr i fi, meddai Phil.

– Ond sai wedi gwneud dim byd i chi, atebodd John.

– Au contraire. Beth y'ch chi ddim wedi'i wneud i fi, Mr Burton? Beth am eich agwedd sarhaus tuag ata i yng nghae Yale? Beth am y rendezvous anffodus ges i 'da menig rwber y plismon, nid unwaith ond dwywaith, oherwydd chi a'ch ffrindiau. Ond nawr mae'n bryd i fi ddial…

Chafodd Phil ddim cyfle i orffen dweud ei ddweud oherwydd roedd Elin wedi ymuno â'r ddau.

– O. Y dyn gyda'r llygaid gleision, meddai Elin. – Neis gweld eich bod wedi dod o hyd i John o'r diwedd. Gadewch i fi ddangos y pwll i chi, dwedodd gan dynnu Phil ar ei hôl.

– Gwych, Mrs Burton, meddai yntau cyn troi at John.

– Mwynhewch y gwin, achos fydd e ddim 'ma ymhen hanner awr, meddai'n dawel.

16

Eisteddai Bryn yn ôl yn y gadair orau yn y garafán – yn wir, yr unig gadair yn ei garafán – yn mwynhau ymlacio ar ôl diwrnod caled o osgoi bownsers Glenn McGrath a Ray Lindwall. Roedd yn siarad â Baloo ar y ffôn.

– Ta beth, mae'n well i fi fynd. Fel wedes i, mae'n rhaid i fi godi Dafydd a Sioned i fynd i wrando ar Joyce a Nikkie yn gwneud ffyliaid ohonyn nhw'u hunain, dwedodd.

– Piti mod i'n methu bod 'na. Cofia fi atyn nhw, atebodd Baloo.

– Wrth gwrs... aros eiliad, Baloo, dwedodd Bryn.

Roedd wedi clywed sŵn y tu allan i'r garafán, a symudodd at y ffenest i agor y llenni. Yn ei wynebu'r ochr arall i'r ffenest roedd dyn yn gwisgo balaclafa ac yn cydio mewn bat pêl-fas. Yn y pellter gwelai Bryn tua hanner dwsin o ddynion eraill wedi'u gwisgo yn yr un modd yn dinistrio'i declyn bowlio gyda'u batiau.

Caeodd y llenni a rhedeg at y drws i'w gloi wrth i'r dyn y tu allan i'r ffenest geisio dod i mewn.

– Baloo, dwedodd Bryn mor araf a thawel â phosib.

– Baloo. Mae 'na chwech neu saith o ddynion y tu fas i'r garafán gyda batiau pêl-fas yn eu dwylo. Dw i'n credu bydd yn rhaid i fi ffonio'r hedd... ond cyn iddo orffen y frawddeg

188

torrwyd y llinell ffôn.

– Bryn… Bryn… Bryn, gwaeddodd Baloo, ond doedd dim ateb. Rhedodd Baloo i lawr y coridor i chwilio am Charlie ac Owain.

Y tu allan i'r cartref roedd Dr Williams yn siarad gyda thair nyrs.

– Bydd yn rhaid i ni fod yn ofalus iawn gyda'r claf sy'n cyrraedd heno. Mae e'n dioddef o achos eithafol o Drosglwyddo Eidentiti…

Gyda hynny, cyrhaeddodd ambiwlans at brif fynedfa'r cartref.

Agorwyd y drws, a'r pen cyntaf i edrych allan o'r ambiwlans oedd pen Slick Willard. Wrth ei ochr roedd cyn-ŵr Nikkie, Bobby y fentrilocwyddd. Roedd yn amlwg i Dr Williams nad oedd Bobby'n gall.

– Rwy'n gwybod beth yw'ch gêm chi. Nid Rodeo yw hwn. Bobby, ry'n ni'n gadael, meddai Slick, ond safodd Bobby'n stond, heb yr ewyllys i symud. Trodd Slick ei ben i edrych ar Dr Williams yn ei got wen.

– Dyw gwyn ddim yn eich siwtio chi, Doctor, dwedodd Slick cyn taro pen y doctor â'i ben pren.

Llifodd y gwaed o drwyn y Doctor a chwarddodd Slick.

– Mae coch yn eich siwtio'n llawer gwell, Yuk Yuk Yuk!

Yna gafaelodd y nyrsys yn Slick, ond roedd yn rhy gryf iddyn nhw a bu'n rhaid i'r gyrrwr eu helpu.

– 200 miligram o Chloropropozine. Nawr! gwaeddodd y Doctor gan ddal ei drwyn, oedd yn pistyllu gwaed.

Anelodd un o'r nyrsys chwistrellydd at wyneb Slick.

– Nid fe, y ffŵl, gwaeddodd Dr Williams.– Y llall.

Gwthiwyd y chwistrellydd i fraich Bobby, ac o fewn eiliadau dechreuodd Slick gysgu. Cludwyd ef a Bobby i mewn i'r cartref.

Bu Baloo, Charlie ac Owain yn gwylio'r digwyddiad, ac wrth i'r doctor, y nyrsys a'r gyrrwr fynd i mewn i'r adeilad rhedodd y tri at yr ambiwlans.

Roedd Charlie'n cario cwch rwber ac roedd dwy rwyf o dan geseiliau Owain.

Neidiodd Baloo i sedd y gyrrwr, ac ymhen eiliadau roedd wedi tanio'r injan.

Yn y cefn eisteddai Charlie gyda'r rhwyfau a'r cwch rwber, ond safai Owain y tu allan i'r ambiwlans.

– Dere mla'n Owain. I Ffrainc, meddai Charlie.

– Dw i'n methu mynd. Cymru yw fy nghartre i a fan hyn rwy'n aros, atebodd Owain.

– Oi! Beth y'ch chi'n wneud? gwaeddodd gyrrwr yr ambiwlans o ddrws y cartref.

Cydiodd Owain ynddo a'i ddal yn dynn. – Ewch! Nawr! gwaeddodd ar Baloo a Charlie.

Pwysodd Baloo ar y sbardun ac i ffwrdd â nhw.

17

Yn y cyfamser roedd y saith wedi amgylchynu'r garafán, gan ddechrau ei tharo gyda'u batiau pêl-fas.

Y tu fewn safai Bryn, yn gwisgo'i bads criced, bocs a helmet, ac yn cydio'n dynn yn ei fat criced.

18

– Faint ohonyn nhw sy 'na? gofynnodd Charlie wrth i'r ambiwlans wibio heibio ceir eraill gyda'r seiren yn sgrechian.

– Chwech, wyth, deg, efalle mwy, atebodd Baloo.

– Damo. Outnumbered. Jest fel Culloden. Oes rhywun arall allai ymuno â ni?

Doedd gan Baloo ddim syniad ymhle roedd aelodau'r Ganolfan yn byw, a doedd Bryn heb ddweud wrtho ymhle roedd Joyce a Nikkie yn perfformio'r noson honno. Cofiodd yn sydyn nad oedd yn gwybod ble roedd Cae Martha chwaith. Yna cofiodd am y tro pan fu Harri yn dadlau gyda'r fenyw y credai Baloo oedd yn wraig iddo y tu allan i dŷ ar y Waun.

– Dw i'n gwybod ble mae tŷ Harri ar y Waun, dwedodd gan wasgu'r sbardun.

19

Wedi disgyn oddi ar y bws yn y dre, cerddodd Dafydd i mewn i'r dafarn gyntaf a chlecio tri pheint i leddfu ei dymer.

Sylwodd fod dyn arall yn yfed ei beint yn dawel wrth ei ymyl. Trodd Dafydd ato gan godi'i wydr.

– Rwyt ti wastad yn gallu dibynnu ar beint... yn wahanol i fenyw. Fydd peint byth yn dweud celwydd wrthot ti.

– Chi'n iawn, meddai Tony gan godi'i wydr a chymryd dracht hir o'i beint yntau.

– Fydd e byth yn dy adael di, meddai Dafydd cyn gorffen ei beint ac ychwanegu, – Ac os bydd e, alli di wastad gael un arall yn syth ar ei ôl e, a gwthiodd ei wydr ymlaen ar y bar i ofyn am un arall.

– O, Joyce. Beth wyt ti wedi'i wneud? dwedodd Tony gan ddechrau crio.

Clywodd ddyn yn dechrau siarad drwy feicroffon yr ochr arall i'r bar.

– Foneddigion a boneddigesau, mae'n fraint gan yr Angel gyflwyno act newydd. Moelwyn yr Iodlwr oedd i fod i'ch diddanu chi heno ond, yn anffodus, torrodd ei goes mewn dawns llinell yn Walsall echdoe. Ond, ar fyr rybudd, dyma Merched y Waw... a Graham.

Cerddodd Joyce, Graham a Nikkie i'r llwyfan a chyflwynodd Nikkie y gân gyntaf.

Trodd Tony a gweld ei wraig yn sefyll ar y llwyfan.

Dechreuodd y tri chwarae cordiau agoriadol 'Achy Breaky Heart' yn null Motorhead.

Trodd Dafydd at Tony gan ddweud – Dw i'n ffrindie 'da'r rheina.

Gwthiodd Tony ei frest allan cyn ateb, – A dwi'n perthyn i ddau ohonyn nhw, Pal.

Roedd yn dechrau sylweddoli beth, mewn gwirionedd, oedd wedi bod yn digwydd.

20

Erbyn hyn, roedd pawb wedi ymgynnull o gwmpas y pwll gydag Elin yn uchel ei chloch wrth ddisgrifio sut roedd hi wedi cynllunio'r pwll a'i orffen ei hun. O gylch yr ymyl roedd cerrig gloywon a cherfluniau o bidynnau ar onglau gwahanol. Ar big bob pidyn sment roedd carreg ruddem ffug, a llifai dŵr o amgylch y pwll.

Canodd cloch drws y ffrynt.

– Wnaiff rhywun fynd i ateb hwnna? gwaeddodd Elin, oedd erbyn hyn yn feddw dwll.

Cerddodd pedwar dyn drwy'r ardd. Un o'r rhain oedd Harri, yn ceisio cuddio y tu ôl i'r tri arall.

– Mr J M Burton? gofynnodd y dyn ar y blaen.

– Ie, dwedodd John gan roi ei law yn yr awyr.

– Mae gen i Orchymyn Llys yma ar ran y Gorfforaeth, Banc HSBC, a Jewsons Builders' Merchants i chi dalu £55,367 a phedair ceiniog...

Bu tawelwch llethol wedi i'r dyn orffen adrodd y rhestr o gredydwyr, a lledaenodd y tawelwch wrth i bawb ddod yn ymwybodol o gyflwr ariannol truenus John ac Elin.

– … neu i gario ymaith eitemau o'ch eiddo sy'n cyfateb i'r swm, meddai'r dyn wedyn.

Cododd John ei ysgwyddau.

– Reit bois, cariwch ymlaen, dwedodd y bwm beili.

– Beth sy'n digwydd, John? gofynnodd Elin i'w gŵr.

– 'Co'r pedair ceiniog, ac fe allwch chi gael yr het am ddim, dwedodd John wrth y beili.

Trodd at Phil. – Ac fe allwch chi gael fy nghlrys, fy sgidiau, fy sanau a nhrowsus i hefyd, dwedodd John gan dynnu'i ddillad a'u taflu at Phil.

Trodd at ei wraig. – Dw i'n ddi-waith, Elin. Dw i wedi bod yn ddi-waith ers saith mis ac wyth diwrnod a dw i'n… dw i'n… hapus.

– Beth?!

– Ches i ddim swydd gyda Paramount Insurance. Dw i wedi bod yn mynd i'r Ganolfan Rhaglenni bob dydd. Dw i ddim angen y tŷ. Dw i ddim angen y dodrefn na'r blydi pwll – a mwy na dim, Elin, dw i ddim dy angen di. Ta ta.

Gyda hynny, cerddodd John drwy'r tŷ ac i lawr y stryd yn gwisgo dim byd ond ei bants.

Wrth i John gerdded i ffwrdd daeth sŵn o gyfeiriad y pwll, a dechreuodd y dŵr suddo drwy'r pridd gan dynnu'r cerfluniau ar ei ôl. Yna saethodd nwy i'r awyr.

– Wnaeth hi ddim selio'r pwll yn iawn, dwedodd Harri yn dawel wrth weld ei gampwaith yn chwalu o flaen ei lygaid. Gwyliodd John yn cerdded drwy'r tŷ. Penderfynodd redeg ar ei ôl, a chododd got a throwsus John oddi ar y llawr.

– I ble rwyt ti'n meddwl ti'n mynd? gwaeddodd y beili.

– Stwffia dy job, dwedodd Harri.

Roedd yn edmygu ymateb John i'r newyddion ei fod yn fethdalwr, ac roedd wedi gorfod gweld tri theulu arall yn dioddef yr un ffawd â John y diwrnod hwnnw.

Wrth i Harri redeg ar ôl John, clywodd sŵn brêcs yn sgrechian a rhywun yn gweiddi ei enw.

– Harri… John!

Gwelodd Harri ambiwlans yr ochr arall i'r ffordd a Baloo yn chwifio'i freichiau arno.

– Neidiwch i mewn. Esbonia i mewn munud, gwaeddodd Baloo.

21

Yn y cyfamser roedd y saith dyn wrthi'n torri i mewn i'r garafán, ac wedi llwyddo i glymu un pen o raff wrth ddrws y garafán a'r pen arall wrth gar Emlyn Pugh. Gyrrodd Emlyn ei Ford Escort i ffwrdd a llwyddwyd i dynnu drws y garafán oddi ar ei echel.

Neidiodd Bryn drwy'r drws yn barod i ymladd yn erbyn y saith. Ar ôl chwifio'i fat o gylch ei ben, a bwrw dau o'r dynion ar eu coesau gyda dau cover-drive, fe'i daliwyd gan y gweddill. Ymhen pum munud roedd e wedi ei glymu i'r llawr gydag Emlyn, Glyn, Terry a'u ffrindiau'n sefyll uwch ei ben.

22

Pan daniodd Baloo injan yr ambiwlans, gwelodd olau'n fflachio i ddangos nad oedd llawer o betrol ar ôl yn y tanc, a dechreuodd y cerbyd gicio.

– Be wnawn ni? bloeddiodd John.

– Oes gan rywun arian i brynu petrol? gofynnodd Baloo.

– Sai'n cadw arian yn fy mhants, atebodd John.

– Tri deg chwech o geiniogau? cynigiodd Harri, oedd wedi chwilio trwy got a throwsus John am arian, yn ogystal â'i bocedi ei hun.

Edrychodd pawb ar Charlie.

– Peidiwch â gofyn i fi. Dw i'n Royalty, a dy'n ni byth yn cario cash.

– Beth am Nikkie a Joyce? Maen nhw yn yr Angel. Gawn ni arian ganddyn nhw? awgrymodd Harri.

– Dangos y ffordd i fi, bloeddiodd Baloo.

23

Roedd Merched y Waw a Graham yn chwarae 'Stand by your Man' yn null Nirvana, a dawnsiai Tony o flaen y llwyfan. Serch hynny, roedd Dafydd yn dal i eistedd wrth y bar yn syllu i mewn i'w beint pan gyrhaeddodd Sioned a chamu tuag ato. Cydiodd yn ei gadair a'i throi fel ei fod e'n ei hwynebu.

– Dw i wedi bod mewn ugain o dafarnau'n chwilio amdanat ti. Dy'n ni mo'u angen nhw, dy'n ni ddim angen barddoniaeth nac actio. Dw i'n dy garu di, dwedodd gan dynnu Dafydd ati a'i gusanu'n ffyrnig.

24

Gorweddai Bryn ar y llawr wedi'i glymu, ac mewn hanner cylch o'i gwmpas safai Emlyn, Glyn, Huw, Terry a'r gweddill.

– Reit, Yale. Arwydda hon, meddai Emlyn gan dynnu dogfen o'i boced.

– Arwyddo beth?

– Cytundeb i werthu'r tir 'ma i Glyn Pugh, atebodd Emlyn.

– Byth, atebodd Bryn gan boeri ato.

– Gawn ni weld am hynny. Yng nghefn gwlad does neb yn gallu dy glywed di'n sgrechian, dwedodd Emlyn. Cerddodd yn ôl at ei gar i moyn can o betrol a dechrau ei dywallt dros y garafán.

25

Roedd Sioned a Dafydd wedi dechrau ar eu pumed cusan pan redodd Baloo, Harri a John i mewn i'r bar.

– Nikkie, Joyce! Mae'n rhaid i chi'n helpu ni! gwaeddodd Baloo.

Roedd pawb yn y lle yn edrych yn syn ar John yn sefyll yno yn ei bants. Esboniodd Baloo yn gyflym fod Bryn mewn perygl mawr. Dwedodd Tony y byddai'n cysylltu â'r heddlu, a neidiodd pawb i gefn yr ambiwlans.

26

Gwelodd Bryn saith balaclafa du yn edrych i lawr arno.

– Hwn yw dy gyfle ola di, Yale, dwedodd Glyn.

Gwelodd yr olwg benderfynol ar wyneb Bryn a thaflodd fatsien at y garafán.

– Does dim llawer o reswm i ti aros ffor' hyn nawr, Yale, dwedodd Emlyn gan chwerthin wrth wylio'r garafán yn dechrau llosgi.

– Dw i'n gwybod mai chi'r Pughiaid sy 'na, gwaeddodd Bryn yn ffyrnig. – Dw i'n gallu arogli Glyn.

– Profa fe. Fe wnawn ni'n siŵr na fyddwn ni'n gadael unrhyw dystiolaeth ar ein hole, Yale. Bydd ein ffrindiau i gyd yn dweud ein bod ni mewn practis côr CFfI drwy'r nos, dwedodd Emlyn cyn troi at ei frawd.

– Mae'r holl gynnwrf 'ma wedi gwneud i fi deimlo fel cael pisiad, ac mae angen i Yale fan hyn gwlio lawr tamed bach, meddai, ond cyn iddo ddechrau piso ar ben Bryn gwthiodd Terry fe o'r ffordd

– Digon yw digon, Emlyn, gwaeddodd, gan dynnu'i falaclafa a dechrau tynnu'r rhaff o ddwylo Bryn. Bu Terry'n meddwl yn ddwys ers amser am ei wendid yn peidio â rhoi stop cyn hyn ar gynllun gwallgof Emlyn a Glyn.

– Edrychwch arnon ni. Dy'n ni ddim llawer gwell nag anifeilied. Os nad yw e'n moyn gwerthu'r tir, dylen ni barchu ei benderfyniad... dwedodd Terry, ond cyn iddo ddweud gair arall camodd Glyn tuag ato a'i fwrw'n anymwybodol gyda'i fat pêl-fas.

– Ca dy geg, y cnych... smo ti'n fab i fi... gwaeddodd Glyn.

– Y bastard! gwaeddodd Bryn wrth i Emlyn gamu at ochr ei dad, agor ei gopis a phiso dros ei frawd.

– Nawr 'te, Yale, gwell i ni ddangos i ti beth yw gwir ystyr LBW, meddai Emlyn gan chwifio'i fat pêl-fas yn fygythiol.

– Hynny yw, os na wnei di arwyddo'r cytundeb 'ma, meddai Glyn.

– Dere mla'n. Do's dim byd i ti fan hyn. Rwyt ti'n ddi-waith, do's dim ffrindie na theulu 'da ti. Bydd yn ddoeth a chymer yr arian. Fe gei di ddeng mil i symud i rywle arall, ychwanegodd Emlyn.

Cyn i Emlyn gael cyfle i ddweud gair pellach, goleuwyd yr holl gae gan oleuadau cerbyd.

– Mas o 'ma, bois, gwaeddodd Emlyn gan neidio i mewn i'r Escort a gyrru tuag at yr ambiwlans oedd yn rhuo drwy gât Cae Martha.

– Emlyn... Emlyn... dere'n ôl, gwaeddodd Glyn ar ei fab, ond roedd hwnnw wedi hen fynd. Yn anffodus i Emlyn, gyrrodd Baloo yr ambiwlans yn syth at ei Escort a'i fwrw i mewn i'r clawdd.

O gefn yr ambiwlans rhedodd dwy fenyw wedi'u gwisgo fel cowbois, dyn yn ei bants, dyn mewn cilt, dyn ifanc â merch wrth ei ochr, a dyn moel i gyfeiriad Emlyn a Glyn.

Safai Glyn ac Emlyn gyda'r gweddill mewn llinell yn dal eu batiau pêl-fas. Y cynta i ymosod oedd John. Rhedodd atyn nhw gan weiddi, – Dw i'n rhydd, dw i'n rhydd!

Neidiodd tuag at Emlyn a'i dynnu i'r llawr.

– Dw i'n rhydd! gwaeddodd John unwaith eto gan gusanu Emlyn ar ei foch.

Cyn i Glyn gael amser i helpu'i fab, teimlodd frath chwip Nikkie ar ei goesau, ac eiliadau'n ddiweddarach roedd Joyce a Nikkie yn gorwedd ar ei ben. Dechreuodd y gweddill redeg i ffwrdd, ond aeth Dafydd a Sioned ar eu holau. Wrth i ddau ohonynt droi i'w hwynebu, symudodd Dafydd yn araf tuag atynt gan chwifio'i freichiau mewn ystum Tai Chi. Tra oedd y ddau'n edrych yn gegagored ar Dafydd, symudodd Sioned o'i flaen a'u cicio yn eu mannau gwan fel eu bod yn gwingo ar y llawr.

Roedd dihiryn arall wedi llwyddo i gyrraedd gât y cae, ond roedd Charlie'n dynn ar ei sodlau. Trodd y dyn i wynebu Charlie. – Paid â chyffwrdd yno i, y lladwrn. Dw i wedi bod yn yr SAS, meddai'n gelwyddog.

– SAS ? holodd Charlie.

– Sassenach! meddai Charlie, gan ymosod yn ddidrugaredd ar y truan. Gyda phob ergyd dwedodd – Mae hwnna am Bannockburn… mae hwnna am Culloden… ac mae hwnna am Wembley 1975.

Yn y cyfamser roedd Harri wedi rhedeg i'r fan lle'r oedd Bryn a Terry Pugh yn gorwedd, ond erbyn hynny roedd y frwydr ar ben. O fewn munudau roedd car heddlu wedi cyrraedd Cae Martha, a Baloo a Charlie wedi ffoi i'r nos i osgoi gorfod mynd yn ôl i'r cartref. Pan ddaeth Terry Pugh ato'i hun, edrychodd mewn penbleth ar hanner dwsin o ddynion yn gorwedd ar y llawr.

– Beth uffarn ddigwyddodd? gofynnodd i Bryn.

27

Wedi i'r beili gario'r rhan fwyaf o'i dodrefn o'r tŷ, eisteddodd Elin yn y gegin wag yn tynnu ar sigarét ac yn edrych ar weddillion y pwll drwy'r ffenest.

– Mae'n flin iawn gen i am hyn, Mrs Burton, meddai Phil wrth gerdded i mewn i'r gegin.

– Peidiwch â phoeni. Nid eich bai chi oedd e mod i wedi priodi rhywun sy'n methu dygymod â phroblemau bywyd. – Mae llawn gymaint o fai arna i, dwedodd Elin yn dawel gan dynnu unwaith eto ar ei sigarét.

– Peidiwch â dweud hynny. Fe fuoch chi'n anffodus i fod yn wraig i ddyn gwan.

Edrychodd Elin yn ddwfn i mewn i lygaid gleision Phil. – Efalle eich bod chi'n iawn, dwedodd gan hanner gwenu.

Dechreuodd Phil gerdded at y drws. Gorffennodd Elin ei sigarét a sibrwd, – Mae man gwan wedi bod gen i erioed... am lygaid gleision.

Dilynodd Phil a galw ar ei ôl. – Maen nhw wedi anghofio mynd â dau beth.

Trodd Phil i edrych arni'n ddryslyd. – Beth?

– Y gwely, wrth gwrs, dwedodd Elin.

– A beth arall? gofynnodd Phil gan edrych i fyw ei llygaid.

Clywodd glic y gefynnau llaw am ei arddwrn.

28

Yn gynnar y bore wedyn eisteddai Bryn, Joyce, Nikkie, Harri, Dafydd, Sioned a Terry Pugh o amgylch tân oedd wedi'i gynnau gan ddefnyddio gweddillion carafán Bryn. Roeddent wrthi'n yfed coffi ac yn gwylio'r gweddillion yn mudlosgi.

Roedd yr heddlu wedi arestio Glyn ac Emlyn Pugh a'r gweddill oriau'n ôl a'u tywys i orsaf heddlu Aberystwyth.

Dwedodd Bryn wrth yr heddlu nad oedd Terry Pugh yn un o'r dihirod a ymosododd arno. Ar ôl gwneud yn siŵr nad oedd angen i Terry fynd i'r ysbyty i drin yr anaf i'w ben, dwedodd Bryn wrtho, – Buest ti'n ddewr iawn i geisio helpu fi. Fydde'r rhan fwya o bobol ddim yn fodlon sefyll yn erbyn eu tylwyth. Diolch.

– Dylwn i fod wedi treial eu stopo nhw cyn neithiwr... ond ro'n i'n rhy wan... ta beth, diolch am beidio dweud wrth yr heddlu... sai'n credu y bydden i wedi para'r noson sen i wedi cael fy nghloi yn yr un gell â Dad ac Emlyn...

Edrychodd Bryn ar ei wats. Hanner awr wedi saith y bore. Roedd pawb wedi treulio'r nos yn trafod ac ailadrodd eu rhan hwy yn y frwydr. Byddai'n rhaid i Bryn fynd i orsaf yr heddlu am ddeg o'r gloch y bore i wneud datganiad ynghylch digwyddiadau'r noson cynt.

Clywsant sŵn cerbyd yn y pellter ac yna gweld y fan bost yn parcio ger y cae. Cerddodd y postman draw gyda llythyr yn ei law.

– Yn erbyn pwy oeddech chi'n chwarae y tro 'ma? Al Qaeda? gofynnodd y postman yn haerllug.

– Dere â'r llythyr 'ma, wnei di? dwedodd Bryn yn swta.

– Dw i ddim yn bostman, dw i'n dechnegydd llythyron i'r Post Brenhinol.

– Gei di fynd nawr, atebodd Bryn gan agor y llythyr a'i ddarllen. Lledodd gwên lydan ar draws ei wyneb.

– Newyddion da i ti, Bryn? gofynnodd John. Roedd wedi dechrau sylweddoli ei fod heb waith, heb wraig, heb bres, a heb ddillad – heblaw am ei got a'i drowsus.

– Newyddion da i ni i gyd, rwy'n credu, atebodd Bryn. Dw i wedi cael caniatâd cynllunio i adeiladu ar fy nhir, meddai.

– Dwedes i wrthoch chi am adeiladu byngalo bach draw fanco ar bwys y coed, on'd do fe? meddai'r postman. Gwelodd yr olwg sarrug ar wyneb Bryn a cherddodd yn ôl at ei fan.

– Wel, fe wnes i, dwedodd y postman wrtho'i hun.

– Ond sut wyt ti'n mynd i allu fforddio adeiladu tŷ? gofynnodd Harri. – Ro'n i'n meddwl dy fod ti'n sgint?

– Gadawodd fy Modryb Martha y tir 'ma i fi yn ei hewyllys, ac fe adawodd lythyr hefyd yn dweud bod y tair acer a hanner wnes i etifeddu'n werth o leia £200,000, gan fy rhybuddio i am Glyn Pugh a mynnu nad o'n i'n gwerthu'r tir iddo fe. Jean Edrich wnaeth y cynlluniau. Astudiodd hi bensaernïaeth yn y Coleg. Ac fe gyflwynes i'r cais y diwrnod aethon ni ar y daith i'r Amwythig. A nawr mae gen i Ganiatâd Cynllunio i godi 25 o dai…

– Felly beth wnei di nawr? Gwerthu'r plotie i ddatblygwr tai? gofynnodd Nikkie.

– No way! Na. Dw i'n mynd i wneud y gwaith fy hunan.

– Ond sut? gofynnodd Sioned.

– Drwy sefydlu cwmni cydweithredol. Hen syniad sosialaidd mae hen ffyliaid fel fi yn dal i gredu ynddo. Pobl yn gweithio gyda'i gilydd i greu gwell bywyd i'w gilydd, ac i bobl eraill.

– Fe ddwedes i yn y cais cynllunio mai dim ond tai rhesymol ar gyfer pobl leol fydden i'n eu codi. Dim o'r tai excecutive mawr salw 'na. A fydda i ddim yn mynd ati i godi tŷ nes bod gen i berson lleol sy'n barod i'w brynu…

– Ond pwy fydd yn rhan o'r cwmni? gofynnodd Dafydd.

– Chi!

– Ni?

– Peidiwch ag edrych arna i fel 'na. Ry'ch chi i gyd yn ddi-waith a do's dim byd gwell gyda chi i neud, o's e? Dw i'n ofni y bydd tipyn o waith o dy flaen di, Harri, os na fyddi di'n rhy brysur yn gwneud hobls, meddai Bryn. – Ac fe alli di gymryd Sioned a Dafydd yn brentisiaid a'u dysgu nhw i fod yn grefftwyr. Mi fyddi di, Dafydd, yn fwy defnyddiol i gymdeithas yn creu rhywbeth hanfodol yn hytrach na'r farddoniaeth ddiflas 'na mae'r rhan fwya o Gymry'n mynnu ei ysgrifennu.

– Efalle dy fod ti'n iawn, Bryn, meddai Dafydd yn ansicr.

– Ac mae adeiladu'n fwy defnyddiol nag actio 'fyd, meddai Sioned gan edrych ar ei chymar. – Allwn ni ddysgu bod yn adeiladwyr gyda'n gilydd, ychwanegodd, gan ddal yn dynn ym mraich Dafydd.

– Wrth gwrs, bydd angen rhywun i wneud yr holl waith papur yn y swyddfa ar ran y cwmni cydweithredol, awgrymodd Bryn gan edrych ar Nikkie a Joyce.

– A 'co'r dyn i wneud y gwaith trydanol, meddai Joyce wrth weld fan Tony ger gât cae Bryn.

Rhedodd Tony draw at Joyce a'i chofleidio.

– Sori, Joyce. Dw i wedi bod yn blydi idiot… ond pam na ddwedest ti wrtha i am y band?

– Paid â becso am hynny nawr. Gad i fi gyflwyno pawb i ti, atebodd ei wraig.

Cerddodd Tony'n syth at Harri. – Long time no see, dwedodd wrth ei gyn frawd-yng-nghyfraith. – Dere draw i'r fan i weld Graham a Diane.

Wrth i Harri a Tony gerdded at y fan, roedd Bryn wrthi'n esbonio rhan John yn y fenter.

– Wrth gwrs, bydd yn rhaid i ti wneud ychydig o waith labro i ddechrau ond unwaith i ni ddechrau codi'r tai bydd angen rhywun i'w gwerthu. Dylie hynny fod yn rhwydd i rywun oedd yn arfer gwerthu insiwrans. Beth wyt ti'n feddwl am y syniad, John?

– Does dim llawer o ddewis 'da fi, o's e? meddai John gan chwerthin.

– Ond o ble gei di'r arian i ddechre'r fenter? gofynnodd Nikkie.

– Fel dwedes i, mae'r tir 'ma'n werth dau gan mil o bunnoedd.

Es i i'r banc ddoe a chyfarfod â dyn hael iawn o'r enw Mr Michael Evans. Dwedodd e y bydde'r banc yn fodlon benthyg pres i'r fenter oherwydd bod 'da fi'r tir yn gefen i fi...

– Felly, dim ond adeiladu'r tai fydd angen i ni ei wneud. Gwaith i ni i gyd, a phawb yn ennill yr un cyflog tra bydd y cynllun yn para. Wedyn bydd e lan i bawb benderfynu beth maen nhw moyn ei wneud gyda'u bywyde, meddai Bryn.

Gyda hynny, daeth yr ambiwlans i'r golwg a pharcio wrth ochr fan Tony. Cerddodd Baloo a Charlie at y tân lle'r oedd y gweddill yn dal i eistedd.

– Sori bod yn rhaid i fi adael ond, chi'n gwybod... fi a'r heddlu, no go. Dw i'n droseddwr ar ffo nawr. Ond sai'n gwbod i ble dw i'n ffoi. chwaith.

– Ble wyt ti eisiau mynd? gofynnodd Bryn.

– Ffrainc, EuroDisney atebodd Baloo yn dawel gan wybod nad oedd llawer o obaith ganddo gyrraedd yno.

– Ei di ddim yn bell yn yr ambiwlans 'na, ac mae'n siŵr bod dim trwydded deithio 'da ti... na Charlie chwaith? dwedodd Bryn.

– Beth wyt ti moyn i fi neud, mynd 'nôl i'r Cartref? gofynnodd Baloo yn ddryslyd.

Edrychodd pawb ar Bryn. Hwn oedd y dyn oedd wedi newid eu bywydau trwy ddweud wrthyn nhw am anelu am eu breuddwydion, ac ef oedd wedi rhoi cyfle iddynt ddechrau ar freuddwyd newydd.

– Mae'n rhaid i ti fod yn ymarferol. Trwydded deithio, dwedodd Bryn gan dynnu ei drwydded ac allweddi'r 2CV o'i boced.

– Fe ddweda i wrthot ti beth ddylet ti wneud. Dwyn fy nhrwydded deithio i ac allweddi'r car, neidio i mewn i'r 2CV a gyrru i ffwrdd. Alli di fynd â Charlie i ble bynnag mae e'n moyn mynd, ac yna cael tynnu dy lun trwydded deithio dy hun a'i roi dros fy un i. Efalle... efalle y llwyddi di i gyrraedd Ffrainc... ond fyddet ti'n hollol, hollol wallgo i drio gwneud hynny... meddai Bryn cyn i Terry Pugh dorri ar ei draws.

–... yn enwedig ar dy ben dy hun. Os wyt ti eisiau cwmni, fe ddo i 'da ti.

Trodd Terry Pugh at Bryn. – Mae gen i hen ffrind sy'n byw yn Ffrainc ac rwy'n credu hoffwn i ei gweld hi 'to, meddai gan gyfeirio at ei hen gariad, Michelle.

Safodd Baloo yn stond o'i flaen yn methu'n lân ag yngan gair.

– Am beth wyt ti'n aros, Baloo? Yng ngeiriau Walt Disney... 'When you wish upon a star...'

Hefyd gan Daniel Davies:

£5.95

"Nofel o ddifyrrwch a doniolwch pur,
am un o'r mudiadau lleiaf brawychus
ond mwyaf cyfrwys a welodd Cymru
ers y Free Wales Army."

gWylliaid
glyndŴr

Daniel Davies

y Lolfa

£7.95

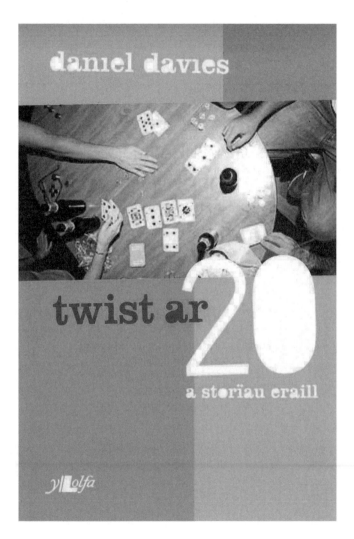

daniel davies

twist ar 20

a storïau eraill

y Lolfa

£6.95

Am restr gyflawn o lyfrau'r Lolfa, mynnwch
gopi o'n catalog newydd, rhad
neu hwyliwch i mewn i'n gwefan

www.ylolfa.com

lle gallwch archebu llyfrau ar lein.

TALYBONT CEREDIGION CYMRU SY24 5HE
ebost ylolfa@ylolfa.com
gwefan www.ylolfa.com
ffôn 01970 832 304
ffacs 832 782